VIVE HENRI IV

JEAN-CLAUDE BRISVILLE

VIVE HENRI IV

ÉDITIONS FRANCE LOISIRS

Édition du Club France Loisirs,
avec l'autorisation des Éditions de Fallois.

Éditions France Loisirs,
123, boulevard de Grenelle, Paris
www.franceloisirs.com

© Éditions de Fallois, 2002.
ISBN : 2-7441-5533-0

LE PRISONNIER
DU LOUVRE

En ce commencement de l'été 1572, à Nérac, à la cour de Navarre, une petite fille d'une douzaine d'années, pas très jolie et qui boitait un peu, tenant à la main une lettre, courait tout essoufflée à travers le verger du château.

— Avez-vous vu mon frère Henri ?

Le vieux jardinier lui indiqua d'un geste la direction opposée à celle qu'elle avait suivie.

— Vous ne pouvez pas vous tromper, princesse. Au pied du plus grand cerisier. Et il y a quelqu'un dans l'arbre, ajouta-t-il malicieusement.

La petite, retroussant ses cottes, rebroussa vivement chemin.

Il était bien là, en effet, dans sa blouse de paysan, au pied de l'échelle dressée, une main sous la jupe de la jeune Fleurette qui, un peu plus haut, emplissait son panier de cerises. Elle était si jolie, Fleurette, avec ses cheveux noirs bouclés, ses yeux bleus et ses belles jambes dorées que Catherine, moins bien pourvue par la nature, sentit la jalousie la mordre. Henri, son frère bien-aimé, son protecteur, lutincr cette paysanne ! Et comme ils riaient tous les deux... comme ils semblaient complices et heureux dans la chaude clarté de cette après-midi.

La mine un peu pincée, elle s'approcha de son frère.

— Henri, je te cherche partout. Une lettre pour toi de notre mère. Elle vient d'arriver.

Le jeune homme prit la missive, en rompit le cachet et lut. Puis sa main retomba et son front s'assombrit. Inquiète, sa sœur osa l'interroger :

— Que dit-elle, notre mère ?

— Elle m'attend au Louvre, à Paris, et me demande de partir dès que j'aurai reçu sa lettre.

— À Paris, mais...

— Je le dois.

— Vas-tu partir ce soir ?

— Non, pas ce soir, mais demain à la première heure.

Ce fut comme si le soleil s'était voilé. Fleurette était redescendue de son échelle, embarrassée de son panier. Et tous les trois se regardaient pensivement dans la torpeur de cette fin de jour.

— Notre mère s'est mise d'accord avec la reine mère Catherine au sujet de mon mariage, reprit Henri. Toute la cour m'attend au Louvre. Il me faut donc aller.

— Mais tu ne l'aimes pas cette Marguerite que tu dois épouser, répliqua vivement l'enfant.

Il haussa les épaules. Pouvait-il faire entendre à sa petite sœur que la politique n'avait jamais tenu compte de l'amour ? Marguerite, princesse catholique, avait pour frère le roi de France, Charles IX, et lui-même en tant que jeune roi de Navarre était le chef du parti protestant. C'est la raison d'État qui commandait ce mariage dont la cour espérait le rapprochement des deux religions qui, depuis quinze ans, divisaient cruellement la France. Il devait obéir à sa mère et Margot à la sienne.

— Allons, venez, dit-il aux jeunes filles après un instant de silence. Il nous reste une soirée à être ensemble.

*

Elle fut triste. Avec sa sœur et ses amis d'enfance, Agrippa d'Aubigné et Bellegarde qui avaient obtenu d'accompagner Henri dans son voyage, ils dînèrent dans la cuisine du château. On parla peu. Tous avaient conscience qu'ils ne se reverraient sans doute plus ensemble en ce lieu familier, et la beauté du crépuscule qui faisait ruisseler ses rayons sur les meubles cirés ajoutait encore à leur mélancolie.

À un moment, Fleurette, qui servait à table, effleura la main de Navarre au passage. Il lui saisit alors le bout des doigts qu'il porta à ses lèvres. Se dégageant avec douceur, la jeune fille sortit, les larmes aux yeux.

*

Le lendemain, Navarre et ses amis quittaient Nérac à l'aube. À peine la petite ville n'était-elle plus en vue qu'Henri arrêta sa monture et, se retournant sur sa selle, enveloppa les prés et les bois illuminés par un jeune soleil d'un long regard ému : « Nous étions au paradis », murmura-t-il pour lui-même, puis, piquant des deux, il rejoignit ses compagnons qui l'attendaient un peu plus loin.

Comme s'il avait deviné le cours de ses pensées, Bellegarde, fidèle à sa légèreté, prit la parole.

— Certes, le Louvre est un lieu sans soleil, mais dites-vous qu'on peut s'habituer à l'ombre. Vous vous y sentirez moins chez vous qu'à Nérac, sans doute, mais n'oubliez jamais, Henri, qu'en politique l'important est de plaire, et vous y parviendrez, j'en suis sûr.

Le sévère Agrippa, intransigeant sur la morale, grommela :

— La politique ! On peut y perdre jusqu'à l'estime qu'on a de soi. Méfiez-vous de son labyrinthe poisseux, Sire, et d'un coup d'éperon il poussa son cheval en avant.

— Quel caractère ! Être honnête homme à ce point-là, c'est de l'outrecuidance. Heureusement qu'il vous aime beaucoup.

— Il faut le prendre comme il est, ce noble cœur, soupira le jeune homme, et mettant sa monture au trot, il rejoignit son sourcilleux ami.

Un moment ils chevauchèrent en silence.

— Je vous serai fidèle en toute conjoncture, vous le savez, Henri, murmura enfin d'Aubigné, mais je crains pour votre âme engagée dans les sentes bourbeuses du Louvre, et au nom de notre amitié je me donne le droit de vous le dire.

— Oui, je vous reconnais ce droit, admit Henri.

— M. de Coligny qui est homme de vérité vous dira mieux que moi tout ce que vous risquez à Paris.

Le visage d'Henri se fit grave.

— J'attends d'abord de lui la vérité sur l'état de ma mère. Elle me fait des cachotteries sur sa santé, et je crains fort qu'elle ne soit plus malade qu'elle n'a bien voulu me l'avouer. Si je ne peux plus compter sur elle...

— À Dieu ne plaise.

— Elle est mon conseil et mon guide... et j'ai besoin de son amour.

D'Aubigné approuva de la tête en silence.

*

Un des premiers jours de juin de cette même année 1572, en la forteresse du Louvre où le jour ne pénétrait, semblait-il, qu'à la faveur d'une fissure, une scène à la violence feutrée opposait dans une chambre étouffée d'étoffes la princesse Marguerite de Valois à sa mère, Catherine.

Toute vêtue de noir, grosse et blême, mais avec dans ses yeux globuleux une volonté implacable qui faisait peur aux plus audacieux, la Médicis tournait en chuchotant autour du fauteuil de sa fille, assise droite et le menton levé, et dont le silence têtu, mieux que toute parole insolente, exprimait le défi.

— Nous venons d'aboutir, expliquait Catherine. Oui, après des semaines d'une négociation épuisante, nous avons fini, Jeanne et moi, par trouver un accord. Vous épouserez donc Henri de Bourbon, son fils, au mois d'août, et cela pour la paix civile et le plus grand bien de la France. La cérémonie aura lieu sur le parvis de Notre-Dame, et Henri sera dispensé d'assister à l'intérieur de l'église à la messe qui suivra. Chacun de vous restera dans sa religion, mais ayant fait un pas l'un vers l'autre, c'est à la réconciliation des deux communautés depuis longtemps en guerre qu'aboutira votre alliance. Je n'ai pas à vous démontrer, Margot, reprit-elle après un silence, l'importance de votre assentiment à cette union espérée.

Il faisait chaud dans cette chambre luxueuse aux tapis entassés et aux tentures épaisses. Elle ne prenait jour que par une étroite fenêtre, et sa pénombre de cachot, ses meubles lourds semblaient encore raréfier son air.

S'arrêtant devant Marguerite, Catherine croisa son regard hautain et fier.

— Puis-je compter sur votre bonne volonté ?

La princesse eut un sourire glacé.

— J'aime bien Henriot, reconnut-elle enfin, nous étions amis dans notre enfance et j'ai grande estime pour lui. Mais sachez-le, mère, je ne veux pas de lui dans mon lit. Il est sale, empeste plus qu'un bouc – un bouc qui aurait le goût de l'ail – et a les manières d'un paysan. Raison d'État ou non, je ne coucherai pas avec cet homme.

Les lèvres de Catherine se serrèrent, et

une inquiétante lueur jaune passa dans son regard.

— Vous mettriez votre plaisir avant l'intérêt de la France ? dit-elle d'une voix rauque qui annonçait l'orage. Une princesse du sang n'a pas ce droit. Vous vous devez à votre rang, ma fille, et dussé-je vous traîner de force à l'autel, je vous jure que vous épouserez Henri. Je le veux, le roi Charles, votre frère, l'exige, la France et la Navarre le souhaitent, et cela se fera malgré votre mauvaise tête.

— Et moi, ma mère, je vous dis...

— Taisez-vous, l'interrompit brutalement Catherine.

Et pointant son index vers le médaillon de vermeil que Marguerite portait au cou, elle reprit :

— L'amourette que vous avez avec votre cousin de Guise pèsera peu devant notre décision commune. Au nom du bien public, vous épouserez Henriot... oui, de gré ou de force. Je vous donne deux jours pour vous y décider.

Et, pivotant sur elle-même avec une légèreté qui pouvait étonner, elle sortit vivement de la chambre.

Sitôt la porte refermée, Marguerite bondit de son fauteuil, tremblante de colère. Elle, la princesse la plus jolie et la plus célébrée, la plus savante de son temps, elle, l'étoile de la cour et l'amie des poètes, elle que courtisaient les princes les plus beaux et les plus raffinés, et d'abord son cousin de Guise dont elle était aimée et qu'elle aimait de tout son corps, se voir contrainte de faire nuit commune avec ce coq de village, culbuteur de gotons. Et par *raison d'État*! Non, elle préférait mourir plutôt que se soumettre à elle. Et son frère le roi qui exigeait son sacrifice! Il allait l'entendre, son frère, ce malade, ce fou.

Ramassant à deux mains sa robe de satin cramoisi qui dansait autour d'elle, elle se rua à son tour hors de sa chambre et dévalant les escaliers, parcourant au galop les couloirs obscurs et étroits de la forteresse, elle gagna, trois étages plus bas, la salle du jeu de paume. En chemise, le visage trempé d'une sueur malsaine et affichant dans toute sa personne les stigmates de la démence, Charles jouait contre le mur. Il jouait, solitaire et chétif, avec une sorte de rage, et la balle, attaquée chaque fois de plein fouet, retentissait quand elle s'écrasait contre le mur, comme un coup d'arquebuse. Hors d'haleine, il s'arrêta enfin, mais ce fut pour s'en prendre à sa raquette qu'il brisa à coups répétés sur le sol de terre battue.

Puis la porte s'ouvrit avec fracas, Marguerite parut et se précipitant l'un vers l'autre le frère et la sœur s'affrontèrent à la façon de deux chats enragés.

— Que viens-tu faire ici ?

— Te dire que je n'épouserai pas Henriot.

— Le mariage est déjà conclu entre notre mère et tante Jeanne.

— Il ne se fera pas.

— Il se fera parce que je le veux, que notre mère et nos frères Anjou et Alençon le souhaitent et que M. l'Amiral, Coligny, mon précepteur, mon protecteur, en sera satisfait. Donc, tu épouseras Henriot sans discutailler plus longtemps.

— Non, je ne l'épouserai pas. Je n'entrerai pas dans son lit. Je ne lui donnerai jamais aucun droit sur mon corps. Il est à moi. J'en fais ce que je veux, et à cette union, je ne consentirai jamais.

Dans une sorte de corps à corps, ils se

soufflaient leur rage à la figure, et soudain Charles, d'un geste brusque, arracha du cou de sa sœur le médaillon qu'il parvint à ouvrir, tenant de l'autre bras Marguerite à distance.

— C'est à cause de lui, je le sais, que tu ne veux pas de Navarre... à cause de ce Guise maudit qui ne rêve que de me faire choir de mon trône et de s'y asseoir à ma place avec le soutien de l'Espagne. Eh bien non, tu m'obéiras. Je suis le roi... ton roi. Tu feras ce que je te dis, sinon... sinon...

— Va au diable !

Et, dans un dernier effort, lui arrachant le médaillon, elle sortit en trombe, la robe déchirée, ses seins à demi nus.

Chancelante, elle revint vers ses appartements. Son affrontement avec Charles l'avait vidée de toute force. Elle n'en pouvait plus. Alors, quand elle sentit une main qui paraissait sortir de la muraille s'emparer de son bras et la tirer en arrière, elle ne lui résista pas.

La pièce, une sorte de petite antichambre où régnait la pénombre, était sommairement meublée.

— Assieds-toi, ma fille, et pour l'amour du Ciel, écoute-moi.

Vaincue, elle obéit.

— Je t'ai suivie, dit Catherine, oui, j'avais peur pour toi. Charles, dans sa folie, est capable de tout. Ne l'affronte plus, je t'en prie. Son esprit est malade autant que son corps et, tu le sais, il t'aime plus que ne devrait un frère. Alors, ne le provoque pas. Il est jaloux de Guise qui est beau et charmant et dont, je sais, il sait que tu es amoureuse. Mais tu dois te le dire et te le répéter, ce caprice te passera comme ceux qui l'ont précédé. Tu es femme, et notre sexe est exposé à cette faiblesse des sens. Il n'y a là rien que de naturel. Je ne te le reproche pas. Mais ton rang te met au-dessus de ces anecdotes. Tu es fille de France, souviens-t'en, et tu ne peux faire passer la satisfaction de ton désir avant le bonheur de ses peuples. La paix intérieure du royaume, épuisé et déchiré depuis des lustres entre les factions qui le divisent, est au prix de ton sacrifice. Je mesure, tu peux m'en croire, ce qu'il va te coûter, et je comprends que tu ne puisses aimer Henriot, mais depuis quand les princes font-ils entrer leurs sentiments dans les unions qu'ils contractent ? Nous ne nous appartenons pas. Pour nous, les rois, un mariage est un contrat – un contrat politique où le cœur n'a aucune part. Nous devons cela à nos peuples. Je suis persuadée que ta décision dans cette affaire affirmera finalement ton rang... que tu ne me décevras pas, Margot. Je t'aime... je t'aime telle que tu n'es pas encore, telle que je t'estimerai comme jamais...

Elle parla longtemps, enveloppant sa fille dans un filet de mots où Marguerite sentait sa révolte faiblir, la soumission la gagner. Elle était seule. Ils étaient trop nombreux contre elle.

La tête dans les mains, comme au bord du sommeil, elle écoutait sa mère en silence.

*

Henri et ses amis arrivèrent au crépuscule en vue du château de Chaunay où M. l'Amiral, ainsi que Jeanne le lui annonçait dans sa lettre, avait rendez-vous avec eux. M. l'Amiral ! Si le roi de Navarre, en raison de son titre, était le chef incontesté des Réformés, Coligny, comte de Châtillon, son aîné de trente ans, en était la conscience, et sa sagesse lui valait, quel que soit leur parti, l'estime des meilleurs hommes du royaume.

Dès qu'ils eurent mis pied à terre dans la cour du château, ou plutôt du manoir d'accueillante apparence, Henri s'enquit de Coligny. Il n'était pas encore arrivé, mais déjà deux messieurs les attendaient au premier étage.

Ils se levèrent à l'entrée de Navarre et le plus âgé des deux se présenta : François de Béthune, un seigneur protestant de haut lignage, et son fils encore adolescent qui devait devenir plus tard duc de Sully.

— Mon fils Maximilien va achever ses études à Paris, au collège de Bourgogne, et je voudrais, si vous daignez l'accepter comme page, Sire, qu'il vous fasse service comme à son propre père.

— Il aura ma protection, promit Henri en souriant. Nous ferons route ensemble.

S'agenouillant devant Navarre, le jeune homme balbutia les quelques mots que lui avait appris son père.

— Sire, je fais le serment d'être toujours votre fidèle et obéissant serviteur. C'est un très grand honneur pour moi d'être accepté de vous, et je mourrai plutôt que de vous décevoir.

À peine Henri l'eut-il relevé gentiment qu'ils entendirent le pas d'un cheval sonner clair sur le pavement de la cour. Cette fois c'était Coligny. Apercevant Navarre apparu sur la galerie, le nouvel arrivant le salua d'un geste, et Henri, dégringolant l'escalier, le rejoignit.

Se tenant familièrement par le bras tout en se promenant dans la cour, les deux hommes engagèrent la conversation.

— Quelles nouvelles de Paris ? s'enquit Navarre.

— Elles sont de nature inquiétante, reconnut Coligny. Sentant ses biens et ses prébendes menacés par notre politique, le haut clergé est prêt à vendre le royaume de France à l'Espagne et à Sa Majesté très catholique Philippe II qui a trouvé son champion en la personne d'Henri de Guise. Il va de soi que pour ma part, en tant que calviniste et bon Français, je m'oppose à toute forme d'abandon au profit de l'Espagne.

— Vous y opposer... mais comment, par

quels moyens, de quelles forces disposons-nous ?

M. de Châtillon soupira. L'ignorance de Navarre l'inquiétait. Ce jeune provincial avait tout à apprendre en politique.

— En tant que membre du Conseil royal, j'ai envoyé de ma propre initiative aux Pays-Bas, colonie espagnole, un contingent de soldats protestants pour soutenir les Hollandais révoltés contre l'occupant, et j'attends des nouvelles des opérations en cours. Si par malheur elles étaient mauvaises je craindrais pour ma vie, car les Guise, vous le savez, me haïssent, et Henri, chef de leur clan, se voit déjà régent de France avec le soutien espagnol.

— Mais le roi ?...

— Charles IX ? Tonsuré et cloîtré dans un couvent... peut-être même assassiné.

Il y eut un silence, et le cœur d'Henri se serra : avant même d'être arrivé à Paris, il se sentait happé dans l'engrenage d'événements terribles où il devrait jouer il ne savait encore quel rôle, et la profonde paix de ce moment crépusculaire, en ce manoir provincial, le cri des hirondelles qui se croisaient dans le ciel vert, l'odeur du foin coupé, le rire d'une servante invisible lui rendirent encore plus redoutable la vision du sombre Louvre. En quel piège allait-il devoir s'enfermer parmi des étrangers tout prêts à se couper la gorge ? Il était parti de Nérac avec en tête un grand projet : rétablir entre les Français, par son mariage avec Margot, la tolérance et leur apprendre à vivre paisiblement ensemble. Mais, cette idée, qu'allait-elle peser dans l'antre ensanglanté du Louvre ? Et il revit Fleurette, sa petite amoureuse en haut de son échelle, Fleurette, son corps de lumière, son rire, ses cerises, Fleurette qu'il ne reverrait sans doute plus.

— Et ma mère, demanda anxieusement Henri, vous qui l'avez vue ces jours-ci, que pouvez-vous m'en dire ?

Embarrassé, l'Amiral balbutia une vague formule, et Henri, plein d'un mauvais pressentiment, n'osa pas insister.

*

À peine le soleil levé, le lendemain matin, les cavaliers sortaient de la cour du manoir quand un messager au galop, venu du nord, les rattrapa.

— Un courrier pour Monseigneur le roi de Navarre.

Observé par ses compagnons inquiets, Henri mit pied à terre et rompit le sceau de la lettre qu'il parcourut. Le visage soudain livide, il la tendit silencieusement à l'Amiral.

— La reine Jeanne est morte à Paris le 9 juin, murmura Coligny à l'adresse de ses compagnons.

Sans un mot Henri s'était remis en selle. Il prit la tête de la troupe où l'on ne parlait plus qu'à voix basse. Au bout d'une lieue cependant M. de Châtillon crut bon de le rejoindre. Ce fut Henri qui prit le premier la parole.

— Rien ne nous presse plus, dit-il d'une voix sourde. Personne ne m'attend au Louvre où nous arriverons bien assez tôt. Oui, prenons le temps maintenant de regarder notre pays.

L'Amiral approuva d'un mouvement de tête.

— Vous avez parlé sagement, Sire, et vos réflexions sur l'état du royaume vous aideront un jour dans votre politique à son égard. Sans compter que lorsque vous ferez votre entrée à la cour, chacun n'aura d'yeux que pour vous. Oui, vous serez jugé sur votre mine – et par des gens impitoyables. Il faut donc que vous soyez sorti ce jour-là du plus vif de votre chagrin, et que tous les Valois respectent le Bourbon.

Henri hocha la tête, et le silence retomba entre les deux amis.

*

En fin d'après-midi l'air devint étouffant et le ciel se chargea de nuages. Accablés de chaleur, les cavaliers somnolaient sur leurs selles. Ils avaient laissé derrière eux un pays de rivières aux rives encaissées entre des falaises de craie creusées de grottes et allaient maintenant dans la monotonie d'une plaine sans eau ni arbre où tout n'était, à perte de vue, que poussière.

Agrippa, le premier, aperçut le village, à une lieue. Ce n'était à vrai dire que quelques maisons de très pauvre apparence de part et d'autre du chemin. À l'approche des cavaliers une poule le traversa à grand bruit d'ailes, et le silence n'en parut ensuite que plus profond.

— On dirait qu'il n'y a personne, murmura Maximilien à Henri qui cheminait à son côté. Où sont les gens ? À cette heure, pourtant...

— Regarde, l'interrompit Navarre en lui montrant du geste une petite fille d'une dizaine d'années très pauvrement vêtue, assise sur le seuil d'une maison incendiée, et mettant pied à terre il rejoignit l'enfant et l'interrogea doucement. Comment t'appelles-tu ?

— Mado, répondit la petite dans un souffle.

— Tu habites cette maison ?

Intimidée, l'enfant baissa la tête.

— Elle est à tes parents ? Où sont-ils tes parents ? N'aie pas peur, je suis ton ami. Tu n'as rien à craindre de moi.

La petite se mit à pleurer.

— C'est Fechner...

— Qui est Fechner ?

— Notre voisin, qui est méchant.

— Qu'a-t-il fait ce Fechner ?

— Il a jeté papa par la fenêtre et puis il a poussé maman dans l'écurie. Elle criait.

— Et après, que s'est-il passé ? reprit Henri en prenant la main de l'enfant.

— Après, elle était morte.

— Il avait fait quelque chose à Fechner, ton papa ?

— Je ne sais pas...

— Tu es sûre ?

— Je crois qu'il lui avait gagné des sous au trictrac.

Henri se tut, réfléchissant.

— Tes parents allaient à la messe ?

— Oui, le dimanche, à Aubignac, qui est à une lieue, parce qu'ici il n'y a pas d'église. Ils m'emmenaient souvent quand j'avais donné à manger aux chèvres.

— Et Fechner, il allait à la messe ?

— Non, il n'y allait pas. C'était un par-paillot. Il était très méchant.

— Où est-il maintenant ?

— Il est mort. C'est Lucas, un cousin de papa, qui l'a tué. Bien fait pour lui.

— Et ta maison, qui l'a brûlée ?

— Je ne sais pas. Des gens qui sont venus la nuit. Moi j'ai pu grimper sur le toit, mais nos chèvres ont grillé.

Henri se relevant posa sa main sur la tête de la petite et, sortant un écu de sa poche,

28

le mit dans son tablier déchiré. Puis il remonta à cheval.

Maximilien avait tout entendu.

— Pauvre petite fille... murmura-t-il.

— Oui, dit Henri, et il y a comme elle en ce moment en France des milliers d'orphelins condamnés à la mort ou à la haine.

Ils s'absorbèrent un moment dans leurs réflexions.

— Viendra le temps, reprit Henri d'une voix sourde... je ne sais quand, mais il viendra, où les Français ne s'égorgeront plus parce que les uns vont au prône et les autres à la messe. Je me suis juré à moi-même que je les réconcilierais, et qu'on ne verra plus dans les villages et dans les villes d'anciens voisins s'entre-tuer en prenant le Ciel à témoin. L'heure venue, je te demanderai de m'y aider, Maximilien. Il nous faut imposer la tolérance. J'y emploierai ma vie.

— Sire, la mienne vous appartient.

À la sortie du village, un cimetière sur la droite surplombait le chemin. Hors ses murs deux paysans munis de pelles et de pioches creusaient le sol. À côté de la terre, on pouvait distinguer la forme de deux corps couverts d'une toile de jute.

29

— Il n'y a donc plus de place en terre chrétienne ? questionna Henri quand ils furent arrivés à leur hauteur.

— Il y en a encore pour les chrétiens, grogna l'un des deux hommes, un pied appuyé sur sa bêche.

— Et ces deux-là ?...

— Des parpaillots. Et vous, qui êtes-vous ? Où allez-vous ?

— Nous sommes des Français, fidèles à leur religion, et allons à Paris.

Les paysans se regardèrent et échangèrent quelques mots à voix basse.

— Alors ne traînez pas en route, et ne posez pas trop de questions. Les gens n'aiment pas ça. Surtout dans les villages.

Henri hocha la tête et salua les deux hommes d'un geste.

— S'ils avaient su que nous étions calvinistes... reprit Maximilien suivant le fil de sa pensée. Peut-être s'en sont-ils doutés, mais nous avions des chevaux et des armes. Ils ont dû avoir peur.

— Oui, s'indigna Henri. Nulle part en ce pays les gens ne se font confiance. On se fait peur, on se menace ou on se tait. Partout ruines et désolation. Voilà ce qu'ils ont fait de leur religion aussi bien les uns que les autres : une justification de la bête qu'ils ont en eux, la permission de tuer, de torturer, d'incendier sous le couvert de Dieu... un Dieu qui les absout d'avance de leurs crimes et donne à quelques-uns, les meilleurs et les plus courageux, la force de chanter dans les supplices.

Maximilien soupira.

— Que pouvons-nous y faire ?

— D'abord ne pas nous résigner à ces horreurs qui ne sont pas fatales. En tout cas, pour moi, je veux vivre et tuer le moins que je peux, et si je suis obligé de le faire, jamais... jamais avec plaisir. Nous avons fort à faire avant qu'on nous entende, je le sais, mais c'est vers cet espoir que nous irons parce que la vie est belle et bonne, ajouta-t-il en souriant, oui, belle et bonne pour nous et pour les autres.

Et mettant leurs chevaux au trot ils rejoignirent leurs amis qui s'étaient arrêtés un peu plus loin.

*

Ils voyagèrent. Ils connurent l'orage et la pluie, la chaleur torride du jour et la tiédeur amicale des soirs quand ils se délassaient sous la tonnelle des auberges en buvant du vin frais. Ils vécurent de bons moments pleins de gaieté et des heures de lassitude. Ils furent quelquefois au bord de la querelle, et Agrippa, toujours intransigeant, faillit un jour se battre avec Bellegarde qui ne manquait jamais l'occasion de titiller sa morgue. Mais le roi intervint, et les épées déjà à demi dégainées rentrèrent au fourreau. Henri sentit se resserrer ses liens avec Maximilien, son interlocuteur favori dont il aimait l'intelligence et un sens politique précocement développé. Partout au long de leur parcours le roi questionnait, s'enquerrait, et par sa bonhomie, triomphant de la méfiance et parfois de l'hostilité, recueillait des renseignements sur l'état de la France et les vœux des Français. Après bien des détours et s'appliquant à la lenteur, ils arrivèrent en juillet sur les bords sablonneux de la Loire. Émerveillé, Henri découvrit la Touraine, ses vergers, sa lumière souriante. Il se prit à aimer le français pur qu'on y parlait, et ils firent une halte de plusieurs jours à Chêne-Hutte-les-Tuffeaux, retenus par le charme du lieu, au bord du fleuve, et l'accueil tout particulièrement aimable de ses habitants.

Ainsi, curieux, attentif et courtois, apprenait-il la France, et d'étape en étape entrait-il dans la géographie et les traditions d'un pays dont il ignorait bien des choses au départ de Nérac et où il se savait appelé à jouer un grand rôle.

Enfin, un des premiers jours du mois d'août, il entra dans Paris avec ses compagnons. À mesure que par les rues étroites, malodorantes et encombrées, la petite troupe se rapprochait du Louvre, il sentait son cœur se serrer. Il devait en effet y entrer seul. C'était maintenant sa maison, peut-être sa prison. À lui à présent de jouer. Depuis bien des semaines il s'était préparé à cet instant. Mais quand ses amis l'étreignirent avant de se disperser dans la ville, il eut un instant de faiblesse en prenant conscience de sa solitude. Elle n'était plus là, sa mère bien-aimée, pour l'attendre à l'intérieur de cette forteresse.

C'est en pensant à elle que, franchissant

le pont-levis, il passa du soleil de Nérac aux
ténèbres du Louvre.

*

Le corridor était obscur, humide, froid,
ses murs nus, son plafond bas. À la vue de
Navarre, les deux valets, accotés dans un
coin, n'interrompirent pas leur conversation. D'une voix ferme il se nomma et
ordonna d'être conduit à la chambre où
était morte sa mère, la reine Jeanne
d'Albret. Dompté, un des valets le pria de
le suivre.

Ils ne rencontrèrent personne jusqu'à
la porte de la chambre. Dans son jour
terne et son ordre funèbre, devant le lit
sans draps, Henri se recueillit. Où était-
elle, maintenant, sa mère ? Entendait-elle
sa prière et pouvait-elle encore l'inspirer
de son conseil ? Une scène à demi effacée
de son enfance lui revint en mémoire. À travers une porte entrouverte, il voyait ses
parents qui s'opposaient violemment : ils
n'étaient pas de la même religion, Antoine
de Bourbon, catholique, et Jeanne, protes-
tante, et ils avaient fini par se haïr. Comme

il avait souffert de leurs affrontements dans son enfance déchirée, lui qui les aimait tous les deux, que tous les deux aimaient. Très vite il était devenu un enjeu impitoyablement disputé. Passant d'un maître catholique à un précepteur réformé, menacé du fouet par sa mère s'il n'était pas fidèle à la religion calviniste avant d'être mené de force à la messe par son père, abasourdi par des discours contradictoires dont il ne retenait que la brutalité, tiraillé en tous sens par des parents qu'il aimait au même degré, pressé de la façon la plus insupportable, ayant le sentiment d'être coupable envers ceux qu'il était obligé de trahir tour à tour, il avait contracté, un peu avant sa dixième année, une fièvre nerveuse si grave qu'elle inspira aux siens des inquiétudes pour sa vie. Mais lui, de les voir chacun tirant Dieu dans son camp, et se réclamant de son Nom pour se maudire, avait déjà introduit dans son âme d'enfant quelque doute sur l'infinie justice du Créateur, et avec les années ce doute n'avait fait que croître : on ne pouvait s'en remettre seulement au Ciel pour décider du cours de l'Histoire.

Méditant au pied de ce lit à la nudité de

pierre tombale, il sentit s'ajouter à son chagrin le poids du rôle qu'il devait maintenant jouer en tant que chef du parti calviniste et interlocuteur des princes catholiques qui allaient surveiller tous ses gestes et la moindre de ses paroles dans une cour dont, à la veille de son mariage, il ignorait encore les secrets. Il n'aimait pas Margot qu'il n'avait pas revue depuis dix ans, pas plus qu'elle-même ne l'aimait. Où allait-il trouver la force et la ruse nécessaires pour affronter avec quelque chance de succès tous ces gens aux yeux desquels il n'était qu'un pion sur leur échiquier politique ?

Un froissement d'étoffes le fit se retourner : entrée silencieusement, la reine mère lui tendait les bras.

— Henriot, s'exclama-t-elle avec une feinte chaleur, je savais que j'allais vous retrouver ici et je voulais vous exprimer la part que je prends à votre chagrin. Je vous aime beaucoup, et je suis prête, avec votre consentement, à vous servir de mère puisque, hélas, vous venez de perdre la vôtre.

— Je vous en remercie, Madame, répondit-il avec prudence. Il est vrai que je

suis dans la peine et que j'aurai certainement besoin de votre aide.

Il se tut un instant.

— Ma mère a-t-elle beaucoup souffert sur
la fin ?

Catherine soupira de toute sa vaste poitrine.

— Elle a passé en vous recommandant à
moi. Nous venions de nous mettre d'accord
sur les clauses de la cérémonie de votre
mariage avec Margot, et la conclusion de
nos discussions a éclairé ses derniers instants. Certes je ne la remplacerai pas auprès
de vous, mais je peux, à tout le moins, m'y
essayer de tout mon cœur. Et maintenant
venez, mon cher fils. Ne nous attardons pas
dans cette chambre. Vous vous y attristez.

Précédant Henri elle sortit, mais à peine
furent-ils dans le corridor que retentit un
coup sourd et lointain dont l'écho résonna
dans le château.

— L'orage, murmura Henri.

— Non, Charles, qui est à sa forge. Il y
passe des heures. Allons-y, vous devez le
voir, et comme il sait certainement déjà que
vous êtes au Louvre...

La forge avait été aménagée à l'angle des

deux murs d'une petite cour carrée dans l'aile droite de la forteresse. Torse nu, ruisselant de sueur, une expression de folie au fond des yeux, Charles IX martelait à grands coups une pique portée au rouge. Catherine, que suivait Navarre à quelques pas, s'approcha.

— Charles, que faites-vous ?

— Vous le voyez, ma mère, je me forge une pique pour me défendre contre mon frère Anjou qui voudrait bien m'assassiner.

— Vous perdez la raison, mon fils, murmura Catherine en haussant les épaules.

— M'assassiner... je le dis et je le répète, après s'être débarrassé de M. l'Amiral qui m'a servi de père et que j'aime plus que tout au monde.

Catherine l'enveloppa d'un long regard où la pitié se mêlait au dégoût.

— Allons, cessez de divaguer.

Charles pointa vers elle un doigt accusateur.

— Vous ne me croyez pas parce que vous ne m'aimez pas... parce que vous m'avez toujours préféré Anjou, mon cadet... oui, votre cher Henri qui espère ma mort prochaine afin de régner à ma place. Et vous aussi, ma mère, vous attendez ma mort avec impatience. Ne niez pas, je le sais, j'en suis sûr. Je n'ai pas eu de mère. Jamais vous n'en avez été une pour moi.

Sans lui répondre, Catherine, excédée, rejoignit Henri, et ce fut à lui cette fois que Charles s'adressa.

— Toi non plus, Henriot, elle ne t'aime pas quoi qu'elle ait pu te dire. Tu es venu du fond de ton Béarn pour épouser ma sœur, et les noces auront lieu... les noces ou plutôt une mascarade imposée par la politique. Mais, de l'amour, n'en attends de personne. On ne peut pas s'aimer ici. Trop de sang sur les murs, trop d'ombre dans les chambres, trop de frayeur dans les couloirs. Son cœur, on le protège des mauvais coups, on ne le donne pas. Même la femme que tu tiens dans tes bras, la nuit, est capable de te tuer dans ton sommeil. Oui, c'est cela, le Louvre : une prison où les prisonniers se surveillent, complotent et se trahissent avant de sortir leur poignard. Pauvre cousin, tu vas le regretter l'air de Nérac.

Prenant le bras d'Henri Catherine l'entraîna résolument hors de la cour.

— Vous l'avez entendu ? Son esprit est

malade et aucun médecin ne semble pouvoir le guérir. Cette méchanceté, ce goût du sang... de quel héritage pourri lui viennent-ils ? Hier, par exemple, je l'ai vu battre à mort un petit âne qu'il s'était fait livrer parce qu'unc fièvre quarte l'empêchait d'aller à la chasse et qu'il ne pouvait retarder son besoin de tuer. Jusqu'au bout il vivra dans ce délire qui le tient et le dévore.

Ils s'engagèrent dans un escalier étroit prenant jour par des meurtrières.

— N'en parlons plus puisque nul ne peut rien au mal qui le tourmente et qui le ruine, et allez voir Margot à laquelle j'ai annoncé que vous veniez d'arriver. Elle est saine et joyeuse, elle, et elle se réjouit à l'idée de vous embrasser.

*

— Et ce long tour de France que nous fîmes ensemble, il y a de cela... combien ? Huit ou neuf ans, je crois. C'était votre mère Catherine qui l'avait organisé afin de présenter la famille royale à ses peuples, et les enfants, vos frères Charles, Henri et moi-même étions du voyage. Il fut long, mais plein d'agréments. Vous en souvenez-vous, Margot ?

Ils causaient familièrement, sans pose ni retenue. Vêtue d'un somptueux peignoir de soie de couleur blanche au col orné d'une dentelle au point d'Alençon, la princesse l'avait reçu fort gentiment, non sans coquetterie : elle se savait belle, et même à cet homme qu'elle n'aimait pas elle ne pouvait résister au besoin de séduire. Henri en fut touché, et pour la première fois depuis qu'il s'était retrouvé dans la forteresse du Louvre, il eut l'impression de respirer.

La princesse se mit à rire.

— Et à Salon, dit-elle, dans le Midi, avez-vous toujours en mémoire cette visite que nous rendîmes au sieur Nostradamus, le faiseur d'horoscopes qui avait vu la mort de mon père dans les étoiles ?

— Oui, je sais pourquoi vous riez, dit Henri tout joyeux : il m'a fait mettre tout nu devant la compagnie, et j'ai cru que c'était pour me donner le fouet.

— Mais ce n'était que pour étudier sur votre corps les signes de votre destin, murmura Marguerite. Vous trembliez, pauvre Henriot. Et pour vous consoler, en sortant, mes frères et moi avons organisé une partie de balle au chasseur.

— Oui, dit Henri, rêveusement, je m'en souviens.

Se levant de son grand fauteuil, la princesse alla ouvrir un coffret posé sur sa coiffeuse et en sortit une balle qu'elle lui tendit.

— Vous la reconnaissez ?

Henri hocha la tête et prit la balle qu'il pétrit dans le creux de sa main.

— Margot... Vous l'avez conservée. Pourquoi ?

— Un souvenir de notre enfance que je regrette. Il me semble qu'à cette époque où nous étions encore loin de la politique le ciel était plus bleu, l'air plus léger.

— Oui, dit mélancoliquement Henri, nous ne pensions qu'à la fête, et dans chaque ville où nous arrivions, il y en avait une qui nous attendait. Des tournois, des ballets et des bals à tous les carrefours. Dans mon esprit d'enfant, la France était perpétuellement en joie. Des sorcières, des fées, des géants s'affrontaient pour notre plaisir, et les chevaliers ne combattaient que pour leurs dames. Toutes ces machines qui donnaient vie à des animaux fabuleux et faisaient se mouvoir autour de nous les astres et les planètes...

Il soupira :

— Une France de rêve.

— À vous donner envie d'être son roi, reprit malicieusement Margot. Cette idée a dû vous venir. Est-ce que je me trompe ?

Henri se mit à rire.

— Il est vrai que je m'en suis vu souvent le roi... avec vous comme reine.

Elle le remercia d'un sourire.

— Oui, dit-elle, nous étions de bons petits amis. Mais la France s'est réveillée, hélas, et la fête est finie.

Il y eut un silence. La chambre calfeutrée était paisible et rassurante. Un refuge, pensa Henri, mon seul refuge dans cette forteresse.

— Ainsi, puisque tout le monde le veut, que nos noces peuvent aider au rapprochement des Français nous allons donc nous marier, reprit-il. Qu'en pensez-vous, Margot ?

— Ce que vous en pensez vous-même. Nous devons en passer par là pour le bien de la France. Je ne m'y suis pas résignée tout de suite, car j'ai horreur qu'on dispose de moi, mais comment m'opposer à la volonté générale ? ajouta-t-elle d'une petite voix boudeuse qui amena un fin sourire sur les lèvres d'Henri.

— J'espère à tout le moins que notre amitié ne souffrira pas de nos noces, dit-il en baisant la main de Margot qu'elle avait douce et parfumée. C'est mon vœu le plus cher.

— Je peux vous assurer, pour ma part, de mon affection, répliqua-t-elle en le regardant dans les yeux. Sans nous jurer fidélité puisque nous cédons tous les deux à la raison d'État, nous pouvons cependant nous promettre assistance. Oui, soyons alliés, Henri. Vous avez dû déjà le pressentir, le Louvre est un nid de serpents, un lieu sinistre où règnent la duplicité et le mensonge et où rôde le crime. Je suis fière d'y être la seule à laquelle à tout instant vous pouvez faire confiance, la seule dont la porte vous sera toujours ouverte, de jour comme de nuit. Puissiez-vous n'avoir jamais besoin d'un refuge, mais si c'était le cas, par malheur, sachez que c'est chez moi que vous l'y trouverez.

— Je le savais, Margot, conclut Henri

avec émotion, et croyez que j'en userai, si besoin est.

Il se leva.

— Vous venez en tout cas d'aboutir à une définition excellente du mariage, et je souhaite que beaucoup d'époux puissent s'en réclamer.

*

La nuit était tombée, orageuse, étouffante, et du ciel plombé de nuages aucune clarté ne filtrait.

La masse minérale du Louvre, à quelques pas derrière Henri, épaississait encore les ténèbres. Sorti pour respirer un peu l'air de Paris après sa conversation avec Margot, le jeune homme hésitait à s'enfoncer dans cette obscurité quand il sentit qu'on saisissait son bras. D'un sursaut il se dégagea, mais une voix familière chuchota :

— Sire, c'est moi, d'Aubigné. J'étais en train de réfléchir au moyen d'entrer dans le Louvre quand je vous ai vu en sortir.

— Et comment m'as-tu reconnu dans cette nuit ?

— Peut-être parce que c'est vous que j'attendais, Sire.

Rassuré, Henri lui prit le bras.

— Je suis bien content de te voir. Mes amis me manquent déjà. Mais qu'avais-tu de si pressé à me dire ?

D'Aubigné jeta autour de lui un regard inquiet.

— Il y a près d'ici une taverne où nous serons tranquilles. Allons-y, s'il vous plaît. Je vous expliquerai.

La taverne, en effet, faiblement éclairée par deux torches fichées à hauteur inégale, était déserte, mis à part le tenancier, un gros homme chauve et barbu sommeillant dans le fond de la salle. À peine furent-ils installés à une table dans un coin faisant face à la porte que d'Aubigné, qui paraissait en proie à une émotion à peine contenue, reprit d'une voix sourde :

— Depuis que nous sommes séparés et après avoir retenu une chambre à l'hôtellerie de la Belle-Étoile qui est tout près d'ici, je me promène dans Paris, et les gens que j'y vois, les propos que j'ai pu surprendre sont à glacer le sang. Ah, Henri, je crains pour nous tous. La populace emplit la ville et ne paraît attendre qu'un signal.

Navarre eut un frémissement d'impatience. Il connaissait bien d'Aubigné. Comme Cassandre toujours prêt à prévoir le pire...

— Allons, reprends ton calme et ne te laisse pas emporter par ton humeur. Qu'as-tu vu et qu'as-tu entendu précisément ? interrogea Henri en posant une main apaisante sur le bras de son compagnon.

— J'ai vu de petits groupes d'hommes enveloppés dans leurs manteaux malgré la chaleur de la nuit... des manteaux sous lesquels malgré leur application à les tenir serrés luisaient des armes. Ils rôdaient, regardant les passants sous le nez, allant comme des rats d'encoignure en ruelle, et bien qu'ils s'exprimassent à voix très basse, j'ai pu saisir deux ou trois de leurs propos au passage.

— Bon. Quels propos ? Vas-tu parler enfin ?

Scrutant la salle vide d'un regard méfiant, d'Aubigné approcha sa bouche de l'oreille d'Henri.

— Ils échangeaient des noms et des

adresses en se faisant des signes. Je suis persuadé que des choses affreuses se trament dans les bas-fonds. L'odeur du sang imprègne l'air de cette ville où trop de gens ont des sourires d'égorgeurs. Vous ne m'ôterez pas de l'idée que nous sommes tombés dans un piège, et je suis résolu, c'est ce que je voulais vous dire, à repartir cette nuit même pour Nérac. Le temps d'aller reprendre mon cheval à l'hôtellerie, et je file car demain il sera peut-être trop tard.

Il mit sa main sur l'épaule d'Henri et la serra.

— Accompagnez-moi, Sire, je vous en prie. Renoncez à ce mariage détestable. Il y va peut-être de votre vie.

— Tu feras comme bon te semble. Si tu veux t'en aller, va-t'en. Que Dieu soit avec toi. Quant à moi je me suis engagé avec Madame Marguerite – engagement voulu et décidé par ma défunte mère – et je ne peux non plus oublier les huit cents gentilshommes de la Religion qui sont en ce moment dans Paris et prêts à me défendre à tout moment si besoin est.

— Que pourraient-ils contre le peuple de

Paris acquis aux Guise et soutenu par leurs bandits de mercenaires ?

Navarre réfléchit un instant.

— Non, tu ne m'as pas convaincu. Paris n'est pas Nérac. Il faut nous faire à cette grande ville où les rues dès la nuit ne doivent jamais être sûres.

— Mais mon hôte lui-même – un papiste enragé à ce que j'ai compris – aiguisait sa pertuisane lorsque je suis sorti de la Belle-Étoile. J'en jurerais, cet homme était prêt à l'assassinat. Et dès que j'ai été dans la rue, tout à l'heure, à voir la mine des reîtres qui me dévisageaient j'ai eu l'impression d'être tombé dans un lieu mal famé.

— Certes, des détrousseurs, gibier habituel des gens du guet. Mais c'est aux bourses qu'ils en veulent, de quelque religion que soient leurs possesseurs. À nous de défendre les nôtres.

La porte violemment poussée s'ouvrit sur un moine de haute taille – sans doute un franciscain, pensa Henri. Immobile, avec dans ses yeux enfoncés une lueur hallucinée, son regard fit le tour de la salle. Et il braqua un doigt sur eux.

— Maudissons-les, mes frères, oui, maudissons ces parpaillots qui viennent d'entrer dans Paris, invités par le roi, notre roi catholique mais relaps, puisqu'il est maintenant passé dans le clan huguenot avec sa mère, cette truie, et sa sœur débauchée, incestueuse et pervertie, Marguerite. Des prodiges célestes annoncent les malheurs qui vont ravager le royaume. On a vu dans le ciel un dragon à sept têtes, tout pareil à celui qui doit, d'après l'Apocalypse, faire tomber le tiers des étoiles d'un seul coup de sa queue. Mais sans attendre le dragon la malignité huguenote a déjà amené misère dans nos rues, famine et peste dans nos campagnes. Qu'ils soient maudits, ces parpaillots, lépreux spirituels qu'il suffit d'entendre et de voir pour que nos âmes en soient contaminées. Ainsi c'est crime que de tolérer l'impie... c'est donner assistance aux œuvres du prince des Ténèbres..., c'est entrer dans le cœur des mauvais anges. Au nom du Tout-Puissant, j'appelle le feu de Jéhovah sur le Louvre, cette Sodome. Qu'il extermine jusqu'au dernier vivant l'engeance qui s'y terre et qu'il réduise en cendres cette tanière. Oui, mes frères, jusqu'à ce que soient exterminés à Paris et dans les villes de France les ministres et les chefs de la nouvelle religion, je ne dirai pas qu'il y a un vrai roi sur le trône. Que le glaive justicier des serviteurs de Dieu nous délivre donc à jamais de tous les hérétiques et suppôts de Satan qui se sont mis hors de l'Église. Armez vos bras, mes frères, car il est proche le moment où vous devrez couper sans pitié les têtes innombrables de l'hydre calviniste.

Et tournant les talons, le moine, sur ces derniers mots, comme bu dans la nuit, disparut.

— Que vous avais-je dit ? murmura d'Aubigné. Nous sommes dans une chausse-trappe. Tout Paris est fanatisé par ces moines-prêcheurs. Il faut nous échapper quand il en est encore temps. Pouvez-vous disposer d'un cheval ?

Henri, dans un geste qui lui était familier, caressa de son index droit l'arête de son nez.

— Je ne crois pas que le danger soit aussi grand que tu le dis. Nous sommes en nombre à Paris. Si certains catholiques veulent nous faire un mauvais parti, nous saurons nous défendre. Mais pourquoi voudrait-on nous assassiner ? Tout le monde, en France, est las de ces guerres de religion qui ruinent le pays sans profit pour personne. Catholiques et protestants aspirent à la paix civile, et c'est pour l'établir, cette paix, que je vais épouser Margot, le 18 août.

— Que Dieu vous entende, murmura d'Aubigné, mais pour ma part, ma résolution est prise : je m'en vais. Quoi qu'il en soit, vous le savez, je vous serai fidèle. Un jour, peut-être, aurez-vous grand besoin d'un ami au-dehors, et ce jour-là je serai là.

Ils s'étaient levés tous les deux.

— Où m'as-tu dit que tu avais retenu une chambre ? demanda Henri.

— Rue du Roi-de-Sicile, à l'hôtel de la Belle-Étoile, répondit Agrippa, un peu surpris.

Navarre lui serra le bras.

— Avant d'y chercher ton cheval, veux-tu me faire la faveur d'une dernière promenade ? Il est à parier que d'ici très longtemps, je n'aurai plus l'occasion de muser en compagnie d'un ami véritable. Et puis, ajouta-t-il non sans malice, il te manque de connaître mieux Paris pour le haïr un peu plus fort.

— Oui, Sire, dit d'Aubigné en s'efforçant de cacher son émotion, quoi qu'il en soit de cette ville, allons marcher pour le plaisir d'être encore un moment ensemble.

Et réunis, le cœur content, leur rapière relevant par-derrière le bas de leur manteau, ils allèrent bras dessus bras dessous dans la nuit noire. Ainsi franchirent-ils le pont Saint-Michel chargé des deux côtés de maisons pauvres et de boutiques closes. Au-dessus d'elles ils distinguèrent le clocher de l'église romane de Saint-Germain-des-Prés. Un peu plus loin, c'était la tour de Nesles hantée de souvenirs sanglants, démantelée, trouée de toutes parts, dont le pied trempait dans la Seine, et au-delà, en dehors de Paris, se fondant dans la nuit, la plaine de la Grenouillère et ses marais obscurs.

L'apparition de la lune entre deux lourds nuages effilochés éclairait vaguement la venelle où ils s'engagèrent entre deux falaises de façades ventrues ou de guingois. Aucune lumière ne filtrait des fenêtres aveugles, et à l'exception d'un chien famélique qui fourrageait dans les ordures la voie était déserte.

— Et le guet... gronda d'Aubigné, je croyais que le guet...

— Il ne peut pas être partout. Et qu'en ferions-nous, du guet ? Ne sommes-nous pas gens à nous défendre ?

— La nouvelle Byzance, une ville puante, une plaie qui suppure... reprit sourdement d'Aubigné.

— Oui, peut-être, mais une grande ville où se tiennent le pouvoir, le savoir, l'opinion. Paris est le cœur de la France et la clé du royaume. Il faut en tenir compte à défaut de l'aimer. Et tiens, dit le jeune homme en s'arrêtant et humant l'air, ne sens-tu pas cette odeur de nature ?

Agrippa lui jeta un regard de travers.

— Vous plaisantez ?

— Non, dit Henri, à l'envers de ces murs il y a des jardins, des vergers, des prairies. Paris ne peut pas seulement être jugé sur sa façade.

Ils étaient maintenant parvenus, au débouché du Petit-Pont, au Marché Neuf, un des bas-fonds les plus mal famés de la ville.

À l'angle de la place une lueur pourprée projetée sur la poussière du sol et de bruyants éclats de voix attiraient le passant : un cabaret, et c'en était un en effet, la taverne du *Radis creux*, ainsi que l'indiquait l'enseigne, un énorme radis d'un rouge délavé peint grossièrement au-dessus du linteau de la porte.

— Entrons, dit Agrippa maussade, j'en ai assez de regarder mon ombre au clair de lune.

Le *Radis creux* était, il faut bien l'avouer, un effroyable bouge. Bas de plafond et enfumé, empestant la vinasse, il était fermé d'un côté par une cheminée de pierre où brûlait malgré la chaleur un fagot de sarments. Lui faisant face un comptoir où s'affairait le tavernier. Ici et là, sur les tables noircies et tailladées, des chandelles plantées dans des bougeoirs d'étain éclairaient chichement les mains des joueurs de cartes ou de dés.

Avisant les nouveaux venus, le tavernier donna un coup de pied dans un tas de chiffons entreposé dans un coin du comptoir. Il en émergea lentement une fillette brune et

somnolente qui tenait à la main le tambourin avec lequel elle avait dû s'endormir.
Sur un signe du tavernier, bâillant encore,
elle esquissa mécaniquement un mouvement de danse en chantonnant et en frappant le tambourin de ses petits doigts frêles.
Puis elle demanda aux deux hommes quel
vin ils voulaient boire. Elle n'avait certainement pas plus de douze ans. Ses cheveux
noirs bouclés retombaient devant son visage
où brillaient ses prunelles d'un éclat phos-
phorique. Une jupe courte trouée et une
brassière en coton à peine fermée par deux
boutons de corne la vêtaient misérablement.

À savourer des yeux l'extrême finesse de
ses traits, l'insolente cambrure de ses reins
et sa petite croupe ronde, Henri pensa que
dans deux ou trois ans elle serait un « mor-
ceau de roi », et cette anticipation amena
sur ses lèvres un sourire qui ne trompa pas
d'Aubigné.

— Qu'elle aille se coucher, cette enfant,
glissa-t-il à Henri, sa place n'est pas dans ce
bouge.

Mais ignorant la remarque de son ami,
Henri interrogeait déjà la petite.

— Comment t'appelles-tu, ma mignonne ?

— Inès.

— Tu n'es pas d'ici. D'où viens-tu ?

— D'Espagne.

— Je m'en doutais. Et tu te plais dans cette ville ?

Elle soupira tristement.

— Même quand il fait chaud, il n'y a jamais de soleil. Je voudrais m'en aller. Et vous, Monsieur, qui êtes-vous ? ajouta-t-elle avec un mélange enfantin d'audace et d'innocence.

— Un homme qui comme toi se demande parfois ce qu'il fait à Paris, répondit-il. Tiens... prends.

Et il lui glissa un doublon dans sa brassière entre ses petits seins pointus.

— Je reviendrai te voir, ma chevrette. Tu me rappelles mon pays.

Puis, tandis que l'enfant allait vers le comptoir, il se tourna vers son ami et murmura :

— À Nérac, tu diras à Fleurette que je ne l'oublie pas.

— Elle sera ravie de savoir que vous entretenez son souvenir, répondit Agrippa d'un ton si grave que Navarre ne put s'empêcher de rire.

L'air empesté du cabaret s'était encore épaissi. Accoudés sur les tables écaillées qu'ils ébranlaient du poing à chaque coup perdu, les truands, bretteurs et mauvais garçons de tout poil qui composaient en majeure partie la clientèle du *Radis creux* emplissaient maintenant le bouge de leurs cris et de leurs chansons avinées.

— Allons-nous-en, dit d'Aubigné en jetant trois pistoles sur la table, on s'empoisonne dans cette ratière.

Henri acquiesça et, se levant, ils se dirigèrent vers la porte. À leur sortie du cabaret, le Petit More du Marché Neuf sonna deux heures. Au bout de quelques pas, Agrippa s'arrêta.

— Je crois que nous sommes suivis, dit-il tranquillement. Quand vous avez glissé votre doublon dans le corsage de la petite, on a vu la pièce d'or de la table voisine.

— Combien sont-ils ?

— Quatre... quatre escogriffes de basse mine.

— Deux contre quatre, la partie est égale,

dit Henri nonchalant. Au demeurant, nous manquions un peu d'exercice.

Les nuages s'étaient déchirés et la lune éclairait crûment la place. À ce moment, les quatre coupe-jarrets sortant de l'ombre des arcades s'avancèrent et entourèrent nos amis qui, d'instinct, s'étaient mis dos à dos tandis que leurs flamberges en un éclair jaillissaient des fourreaux. Agrippa fut le premier à s'employer. Sans bouger d'une ligne, il para la botte furieuse que lui portait son agresseur qui, emporté par son élan, le heurta violemment de la poitrine. Le saisissant alors à la gorge de la main gauche, il lui bailla un terrible coup de genou entre les jambes. Hululant de douleur l'homme lâcha sa rapière et roula recroquevillé, dix pas plus loin.

— Et d'un ! dit Agrippa sans élever la voix.

Comme son second spadassin, sans doute refroidi par l'incident, temporisait dans sa conduite, il fondit derechef sur le brigand, la pointe haute, et lui porta entre la poitrine et la gorge un coup d'estoc à tuer un taureau. Et l'homme s'abattit d'une pièce en vomissant son sang à gros bouillons.

— Et de deux, énonça Agrippa en retirant la lame du cadavre.

Mais tout à son affaire il s'était éloigné de Navarre qui, attaqué de deux côtés en même temps, avait quelque souci. Feintant et bondissant, il passa d'un mouvement si vif et si inattendu dans le dos de son premier adversaire qu'il put lui asséner du pommeau de sa rapière un tel coup sur la nuque que, malgré la protection de son feutre, l'homme chancela et déguerpit, flageolant, sans demander son reste. Mais le quatrième malandrin s'aplatissant soudain devant Henri avait sorti sa dague. Il allait proprement l'éventrer de bas en haut quand Agrippa, revenu sur ses pas et voyant le péril, lui écrasa le visage de sa botte.

— Et de trois ! conclut-il avec le sérieux d'un homme qui aime tenir ses comptes en ordre.

— Merci, mon compagnon, murmura Henri tout ému. Tu m'as sauvé la vie.

— Bah ! dit négligemment Agrippa, je n'ai point eu beaucoup à faire. De la besogne pour le guet, conclut-il, en montrant les trois corps dispersés dans la poussière.

Se reprenant le bras les deux hommes quittèrent la place pour des lieux mieux famés.

— Voilà donc une de ces nuits de Paris qui t'inquiétaient tant, dit Henri, souriant.

La mémoire toujours hantée par les cadavres des huguenots pendus à la terrasse du château d'Amboise après la conjuration de 1560 et que son père lui avait montrés quand il était encore enfant, Agrippa répliqua :

— S'il n'y avait que de mauvaises gens vous auriez raison de plaisanter. Mais plus à craindre que la canaille sont les bons bourgeois catholiques qui sont persuadés faire œuvre pie en nous assassinant dans nos lits avec la bénédiction de Dieu. Je ne reviendrai pas sur ma décision : cette nuit je reprends la route de Nérac.

Henri se contenta de soupirer : il n'avait rien à dire à cela.

*

Jamais Marguerite de France n'avait été plus belle et plus superbement parée que ce matin du 18 août, jour de ses noces. En robe

de satin rehaussée de dentelle que recou-
vrait un manteau bleu dont la traîne longue
de quatre aunes était portée par trois princesses, ayant en tête un diadème de perles
et de diamants, elle était menée à l'autel par
le roi Charles, son frère. Anjou et Alençon,
la reine mère, le cardinal de Lorraine et
tous les dignitaires de la cour leur font cortège. Accompagné de ses cousins, les deux
frères Condé et Conti, Navarre vient au-
devant de sa future épouse. Il porte un habit
de drap d'or et arbore une plume blanche
à son chapeau. Coligny qui apparaît aux
yeux de tous comme le parrain de cette
union le suit de près. Un théâtre orné de
draperies blanches a été, selon le protocole
établi, dressé sur le parvis de Notre-Dame et
au-dessus, pour la foule des spectateurs, des
galeries de bois ont été aménagées.

Malgré la splendeur de la fête, Marguerite
n'en affichait pas moins une expression fort
maussade qui révélait ses sentiments : si elle
avait cédé aux exigences de la politique,
son cœur, tout à son bel amant Henri
de Guise, n'était pas engagé dans l'affaire.
Elle en donna la preuve : au moment du
« oui » sacramentel, elle eut une suprême

hésitation, et il fallut que le roi Charles, son frère, placé derrière elle, lui donnât un coup sur la nuque pour qu'elle semblât acquiescer de la tête. Le cardinal de Bourbon qui officiait à l'autel n'en demandait pas plus, mais l'assistance en fut troublée. De fait, pas plus que les princes lorrains, catholiques féroces, les huguenots intransigeants n'étaient contents de ce mariage en lequel chacun voyait une sorte de trahison de sa religion respective, et seule la famille royale qui l'avait arrangé semblait s'en satisfaire.

La cérémonie achevée et tandis que les cloches sonnaient à toute volée, Henri, qui s'était retiré par une porte latérale pendant que dans le chœur Marguerite assistait à la messe, devisait en riant avec ses compagnons dans les appartements de l'évêché. Nul n'était moins que lui dupe de cette comédie négociée et réglée à l'avance dans ses moindres détails. Mais il fallait jouer le jeu.

Le soir, il y eut un souper au Louvre suivi par un concert et par un bal, et, en clôture, un spectacle féerique représentant quelques divinités marines.

À son issue chacun s'en fut coucher, les nouveaux mariés au Louvre même dans une chambre nuptiale arrangée pour la circonstance. Comment se déroula la nuit de noces, on n'en sut jamais rien, les témoignages des époux ayant souvent varié par la suite. Toujours est-il que lorsque les invités se retirèrent afin de s'aller mettre au lit, les arrière-pensées étaient plus que jamais présentes sur tous les fronts, et en écho, amplifiée par le porte-voix populaire, la rumeur de la foule énorme qui engorgeait la rue des Fossés-Saint-Jacques et la rue de l'Astruc, avant de venir se presser contre les murs illuminés du Louvre, avait, dans sa force sans joie, quelque chose d'une menace sourde.

Entre la réconciliation des deux communautés dont le mariage princier célébré le matin même était la clé de voûte et leur affrontement sanglant, qui pouvait encore savoir, en cette nuit du 18 août, lourde de soufre et de poison, vers quel destin de tolérance ou de cruauté fanatique allait pencher la France ?

Ce ne fut pas le très équivoque ballet intitulé *Le Paradis d'amour* représenté le surlendemain au palais du Petit-Bourbon à l'initiative de Catherine de Médicis qui aurait pu donner une indication à ce sujet. Dans cette salle oblongue, entre le Louvre et Saint-Germain-l'Auxerrois, on avait planté un décor imité des mystères du Moyen Âge avec, à droite, le Paradis et à gauche l'Enfer. Au fond, dans les Champs Élysées, dansaient au son des violons douze Nymphes dévêtues au milieu desquelles étincelait la princesse Marguerite qu'on eût dit incrustée de pierreries à la lueur des torches.

Et les champions de faire leur entrée. Commandés par Henri, les Chevaliers errants costumés à la turque avec des robes de drap d'or et le turban en tête se lancent à l'assaut du Paradis. La bataille s'engage, maints coups sont échangés. Mais le Bien se doit de triompher du Mal : les Chevaliers errants sont repoussés par les Chevaliers célestes, incarnés par le roi Charles lui-même et ses frères Alençon et Anjou qui, en conclusion, précipitent les Infidèles en Enfer.

Assis sur une estrade que surmontait un dais, les invités assistaient à cette pantomime allégorique avec des sentiments divers, les gentilshommes catholiques l'applaudissant de la façon la plus ostentatoire et les dignitaires huguenots lui opposant un visage de marbre.

La duchesse d'Uzès, grande amie de la reine mère qui se trouvait à son côté, lui chuchota :

— Qui a ordonné ce ballet, Madame ?

— Moi, répondit laconiquement Catherine.

Et devant la mine effarée de la duchesse, elle ajouta :

— Ayant donné ma fille au Béarnais, il risquait d'avoir la tête quelque peu échauffée par cet honneur. Le mécréant qu'il joue sur le théâtre le ramènera, je l'espère, à plus de modestie. Mais regardez la suite...

Elle en valait la peine en effet. Les Nymphes enamourées faisaient fête aux vainqueurs et les priaient en dansant avec eux de gracier les Chevaliers errants « par suffrage d'amour ». Magnanimes, les Chevaliers célestes accédaient à leurs vœux et ouvraient à Henri et à ses compagnons les portes du Tartare où ils se morfondaient.

Triomphe de la médiatrice, l'éblouissante Marguerite qui reçoit la conversion du chef des Infidèles à genoux devant elle.

Pour clore le spectacle, un crépitant feu d'artifice embrasait la machinerie, jetant ses reflets infernaux jusque sur les visages stupéfaits des invités.

À la sortie, l'Amiral, pâle de colère, murmura à La Rochefoucauld :

— Comment Navarre a-t-il pu se prêter à cette mascarade outrageante pour nous ?

— Il a certainement ses raisons, lui rétorqua pensivement le duc.

À cet instant, les regards de Catherine et de Coligny se croisèrent, et la lourde ironie qu'il lut dans les yeux de la reine mère lui donna à penser : et si les huguenots, délibérément provoqués, prenaient la mouche et répliquaient les armes à la main à cette allégorie insultante, ne serait-ce pas là un excellent prétexte pour donner carte blanche à la clique des Guise ? Henri avait dû y penser lui aussi et peut-être était-ce pour cela, pressentant le péril, qu'il était librement entré dans le jeu de la reine mère.

— À la réflexion, dit-il en prenant La Rochefoucauld par le bras, je crois que

67

notre ami a ses raisons, comme vous dites. Il n'est plus un enfant et ne sera jamais un traître. J'en suis sûr maintenant, notre parti a trouvé en lui son vrai chef.

*

Jusqu'au vendredi 22 août, il fut permis de croire que la raison l'emporterait sur la folie et la paix sur la violence. Ce jour-là tout paraissait calme à Paris. Il était dix heures et demie du matin quand M. l'Amiral sortit du Louvre après avoir assisté au Conseil présidé par le duc d'Anjou, frère du roi. Une douzaine de gentilshommes lui faisant cortège, il regagnait tranquillement son hôtel à pied en lisant une lettre quand le canon d'une arquebuse sortit de la fenêtre d'une maison située à l'angle des rues des Fossés-Saint-Jacques et des Poulies. Au moment où le coup partit, l'Amiral se baissa pour mieux enfoncer sa chaussure. Ce geste lui sauva la vie, car au lieu de l'atteindre en pleine poitrine la balle lui coupa un doigt avant de traverser sa main gauche. En tombant le vieil homme désigna la fenêtre du rez-de-chaussée où était apparue une fumée. Ses compagnons se ruèrent vers la maison, sauf un qui, mettant un genou en terre, souleva la tête de l'Amiral.

— Prévenez le roi tout de suite, murmura Coligny tandis que ses amis, fous de colère, investissaient le repaire de l'assassin.

Se bousculant, ouvrant à la volée les portes, ils trouvèrent enfin la chambre avec vue sur la rue d'où il semblait que le coup avait été tiré. Elle était vide, mais l'un des hommes ramassa sur le sol une arquebuse abandonnée qu'il tendit à ses compagnons.

— Elle est encore chaude. Et voyez le poinçon ! Aux armes de la maison des Guise...

— Cette fois, Henri n'échappera pas à la justice royale, murmura un des assistants.

Pendant que s'échangeaient ces propos, Maurevert, l'assassin en fuite, émergeait au galop sur l'arrière de la maison, traversait le jardin, sautait le mur du fond. De l'autre côté un cheval l'attendait dans une ruelle déserte. L'homme bondit en selle, éperonna vigoureusement sa monture et disparut en un instant.

Mais qui était-il, ce tueur, dont l'acte

meurtrier venait de préluder à l'une des plus sombres tragédies de notre histoire ?

À dire vrai, Charles de Louviers, seigneur de Maurevert, né de bonne maison, mais parfaitement dévoyé, client assidu des tripots où il s'était ruiné, n'était plus depuis des années qu'un spadassin de la pire espèce vendant son arquebuse au plus offrant. Après un premier attentat manqué, à Moncontour, sur la personne de l'Amiral et de nombreuses aventures dont aucune n'était à son honneur, la trahison étant la spécialité de cet homme qui passait impudemment d'un camp à l'autre selon ses intérêts, il prit du service dans la compagnie d'un brave gentilhomme picard, le sieur de Mouy, dont il gagna la confiance au point que celui-ci vint à le considérer comme son fils. Ce qui ne retint pas Maurevert de l'abattre en 1569 d'un coup de pistolet pour le voler et s'enfuir sur le cheval que lui avait donné son protecteur.

La duchesse de Nemours qui rêvait de faire assassiner M. de Coligny qu'elle tenait pour responsable de la mort de son premier mari, François de Guise, avait présenté Maurevert à la reine mère, et cela se savait.

Comme on savait ou prétendait savoir, à Paris, que notre spadassin devait toucher dix mille écus des Guise au cas où il tuerait proprement l'Amiral. Les relations de Catherine avec M. de Coligny dont elle jalousait l'influence sur l'esprit du roi n'étant pas des meilleures, le coup d'arquebuse de Maurevert ne pouvait qu'avoir les plus fâcheuses conséquences sur l'amitié des princes lorrains et de la reine mère avec le roi qui, rappelons-le, considérait M. l'Amiral, son ancien précepteur, comme son père et ne supportait pas l'idée qu'on pût toucher à un seul de ses cheveux.

Ainsi la paix civile que les noces du roi de Navarre et de Marguerite de Valois étaient censées avoir scellée se trouvait-elle, par l'effet d'un coup d'arquebuse, gravement menacée.

*

Un peu plus tard, en cette fin de matinée lourde et voilée dont la torpeur évoquait une eau stagnante, deux jeunes hommes se promenaient nerveusement de long en large dans une petite cour intérieure du

Louvre, celle-là même où le roi s'était fait
installer une forge, pour l'heure éteinte, et
leurs mines préoccupées attestaient de la
gravité de leurs propos échangés à voix
basse. Mais qui aurait pu les entendre dans
ce puits entouré de hauts murs aveugles ? Ils
n'en étaient pas moins prudents. Le Louvre
leur avait appris à se méfier même de leurs
ombres.

— Es-tu certain qu'il n'est pas mort ?
chuchota le roi de Navarre en arrêtant Maximilien de Béthune et en le regardant droit
dans les yeux.

— Le seigneur de Nonneins qui était sur
les lieux de l'attentat et que je viens à l'instant de croiser m'en a donné l'assurance.
Ses blessures à la main sont légères, et soutenu par ses amis il a pu regagner à pied
l'hôtel de Béthisy. Prévenu tout de suite,
Maître Ambroise Paré, le chirurgien du roi,
est parvenu à extraire la balle. À moins
qu'elle ne soit empoisonnée... Mais un
contre-poison, préparé aussitôt, lui a été
administré.

Henri approuva de la tête.

— Il faut donc espérer qu'il s'en tirera

bien. Et pour l'homme qui a tenté de le tuer ? On n'a pas pu le capturer, m'as-tu dit.

— Non, il a échappé. Mais on a déjà découvert que la maison d'où le coup est parti appartient à l'ancien précepteur du duc de Guise, le chanoine Villemur. Et, fait encore plus probant, l'arquebuse retrouvée porte les armes de Lorraine.

— Des preuves qui devraient suffire aux enquêteurs. Reste à savoir si Charles est décidé à sévir contre son beau cousin, dit Henri en reprenant le bras de Maximilien. Il se répand tout haut en protestations d'amour pour M. l'Amiral, mais sa mère qui hait Coligny peut l'emporter finalement dans son esprit. Il doit être averti à cette heure de ce qui s'est passé.

— MM. de Piles et de Nonneins, mandés par l'Amiral, sont en ce moment au Louvre et s'entretiennent avec Sa Majesté.

— Bon, dit Henri, Dieu veuille que passe sa justice, et serrant la main du jeune homme il se hâta vers l'entrée de la cour.

— Où allez-vous ?

— Voir l'Amiral.

— Est-ce que je pourrais...

— Non, répondit Henri d'un ton ferme.

Toi tu vas retourner à ton hôtellerie et m'y attendre. Il faut être prudent ces jours-ci quand on ne va pas à la messe.

Et comme Maximilien, contrarié, avait un geste d'impatience, il ajouta :

— Allons, obéis-moi. Tu m'as juré obéissance devant ton père.

Et plantant là l'adolescent fort déconfit il sortit de la cour à pas rapides.

*

Quand Henri arriva en vue de l'hôtel de Béthisy, la rue des Fossés-Saint-Jacques était déjà remplie d'une foule de curieux accourus aux nouvelles. S'y frayant un passage, le jeune homme pénétra dans la cour de l'hôtel qui, d'ordinaire silencieuse, vibrait et bourdonnait en ce moment à la façon d'une ruche en colère.

On avait installé l'Amiral dans une chambre au premier étage et quand Henri put enfin y accéder après avoir gravi un escalier encombré de quantité de gens : serviteurs effarés, familiers de Coligny, gentilshommes huguenots venus proposer leurs services, il trouva au chevet du blessé, tenant déjà conseil, ses amis les plus proches. Condé et La Rochefoucauld, pour leur part, suggéraient de sortir de Paris en force et d'aller mettre l'Amiral hors d'atteinte en quelque forteresse provinciale. Mais Henri, consulté, ne se rallia pas à leur avis.

— Nous n'avons aucune raison de ne pas faire confiance au roi. Je suis persuadé, pour ma part, qu'il est le premier indigné par cette tentative manquée d'assassinat. Plutôt qu'aller nous perdre en ordre dispersé au fond de la province – une province elle-même peu sûre – demandons-lui de prendre sous sa sauvegarde personnelle, au Louvre même, l'homme qu'il considère comme son père. S'il accepte, quel meilleur protecteur pouvons-nous espérer pour M. l'Amiral ?

— Je pense comme vous, Henri, intervint le gisant d'une voix faible. Le roi me donnant sa parole, je n'ai plus rien à craindre. Non plus que vous, mes chers amis.

— Vous oubliez la reine mère, murmura Téligny, gendre de M. l'Amiral. Elle nous hait et peut disposer à son gré et à tout instant de l'esprit de son fils.

*

Dans le même moment, rencognés au fond d'une litière aux panneaux de cuir rabattus, Catherine et son fils chéri entre tous, Anjou, chuchotaient.

— Si Charles vient à apprendre que l'attentat sur Coligny n'est point le fait du seul Henri de Guise, mais que son propre frère et sa mère y ont trempé, quelque peu que ce soit... murmura Catherine d'une voix soucieuse.

— Mais qui le lui dira ? soupira le jeune homme en regardant ses ongles soigneusement vernis.

— Guise, s'il est inquiété, répliqua Catherine, et il le sera à coup sûr. J'imagine déjà son plaisir à nous mettre dans cette affaire. Ah mon Dieu, quel ennui !

Anjou bâilla discrètement.

— Que pouvons-nous y faire ? murmura-t-il sur le ton de la plus parfaite indifférence.

Catherine lui jeta un regard étonné et se plongea silencieusement dans ses réflexions.

*

À leur entrée dans la chambre de l'Amiral un lourd silence les accueillit. Personne ne se leva et ils ne regardèrent personne. Tandis qu'Anjou demeurait nonchalamment appuyé à la porte, Catherine, un sourire figé aux lèvres, s'approcha du lit du blessé.

— Monsieur de Châtillon, quelle joie de vous voir en vie ! Comment vous portez-vous ? Assez bien à ce qu'il semblerait.

— Mieux en tout cas que ne l'espèrent certaines gens, Madame, répondit le vieil homme.

Catherine ne broncha pas.

— Il y a moins d'une heure qu'on nous a prévenus de l'attentat, reprit la reine mère, imperturbable, et j'aimerais en tenir les circonstances de votre propre bouche. Il paraît que c'est à la sortie du Conseil que l'agression a eu lieu. Dites-m'en les détails, je vous prie, si vos forces, du moins, vous le permettent.

Brièvement l'Amiral les lui relata, et Catherine l'écouta, jouant la stupéfaction indignée, tandis qu'autour du lit les assistants, nullement dupes de cette comédie, échangeaient des regards ironiques.

— Sa Majesté que j'ai entrevue tout à l'heure est atterrée, soupira Catherine en croisant ses mains grasses sur sa robe noire. Elle m'a dit qu'elle allait confier l'enquête au président de Thou et que chaque jour celui-ci devrait le tenir au courant de ses progrès. Vous savez à quel point mon fils vous aime, ajouta Catherine avec une ombre de sourire où Henri, qui l'observait avec attention, crut deviner une sorte de défi.

À ce moment il y eut un grand mouvement sur le palier, et le roi sans manteau, la tête nue, pâle et défait, surgit dans un état de surexcitation extrême. Cette fois ceux qui se trouvaient au chevet du blessé se levèrent. Sans paraître les voir, Charles se précipita vers le lit, s'agenouilla et saisissant la main de Coligny l'embrassa.

— Toi, l'Amiral, dit-il à voix très haute, tu dois supporter la douleur et moi la honte, mais j'en ferai une telle vengeance qu'on s'en souviendra à jamais. Dis-moi les noms de ceux qui, selon toi, sont mêlés à ce crime.

Il y eut un profond silence.

— Ils ne sont pas difficiles à trouver, Sire, répondit enfin Coligny en regardant le roi droit dans les yeux.

Comme s'il ne pouvait supporter ce regard, Charles se redressa d'un bond et, bousculant tous ceux dont le cercle s'était refermé autour de lui, s'échappa précipitamment de la chambre.

— Qu'en pensez-vous ? chuchota Téligny à l'oreille d'Henri.

Le Béarnais hocha la tête.

— Je ne sais trop. Certes il s'est engagé envers nous tous par ce qu'il vient de dire à voix haute. S'il est fidèle à sa parole...

— ... il ne serait pas ce qu'il est, compléta sèchement son interlocuteur. Il paraît que le Guise se sentant menacé s'est déjà enfui de Paris. Le roi ne doit pas l'ignorer. Sachant que le gibier est hors d'atteinte, il peut presser de Thou dans son enquête, sans trop inquiéter sa mère.

— Vous la soupçonneriez donc comme moi d'avoir trempé dans cette affaire ?

— Elle en est l'âme noire, je le pressens. Croyez-moi, Sire, nous ne pouvons compter que sur nous-mêmes pour sauver l'Amiral. Si nous faisons crédit au roi, il est perdu.

— Oui, sans doute avez-vous raison, approuva gravement Navarre. Mais allons discuter des premières mesures à prendre avec tous nos amis dans la chambre au-dessus, afin de ne pas fatiguer M. de Châtillon. Le temps presse.

*

Pendant que les fidèles de l'Amiral commençaient à délibérer au second étage de l'hôtel, la litière de la reine mère et de M. d'Anjou se frayait lentement un chemin vers le Louvre. Des hordes de paysans déguenillés chassés de leur campagne par la famine, poussant leurs bêtes devant eux, encombraient les rues de la ville qui dans la touffeur de l'été faisait penser à une poudrière. Aux carrefours, des moines perchés sur des tonneaux prêchaient avec fureur, vouant aux gémonies les parpaillots, et la populace excitée, dont le luxe des noces princières avait exaspéré la misère, les écoutait, fanatisée. Sa colère était d'autre part entretenue par les agents stipendiés des Guise qui allaient de groupe en groupe, attisant les ressentiments et distillant la haine.

Entre les lourds panneaux de la litière

dont le passage soulevait des huées apparaissaient et s'évanouissaient des visages grimaçants comme des figures engendrées par le cauchemar.

— J'ai réfléchi, dit enfin Catherine, je crois qu'il suffirait de dépêcher cinq ou six de leurs chefs.

Anjou parut sortir d'un rêve.

— Mais de qui parlez-vous, ma mère ?

— Des conspirateurs huguenots qui sont à la tête du clan. Le peuple les connaît et les hait. Nous lui ferons plaisir en les expédiant. Et dans le même temps les desseins de ceux de la Religion mourront avec ces gens. Mais il faut appliquer ce plan avant que Charles ait les conclusions de l'enquête menée par de Thou sur l'agression perpétrée contre son père.

Elle avait mis assez d'ironie dans ce mot pour dérider Anjou qui eut un petit rire.

— Et c'est ainsi que mon cher frère va se retrouver orphelin. Ma mère, vous pensez à tout. Heureusement que vous m'aimez, sinon vous me feriez peur.

— C'est d'abord à toi que je pense et au royaume dont tu hériteras, ajouta Catherine. Nous devons voir Guise au plus vite afin de dresser avec lui la liste des cinq ou six noms. Il tient Paris avec ses reîtres suisses, et son accord nous est indispensable.

— Le voir... mais je croyais qu'il s'était enfui de Paris.

— Non, il se cache en son hôtel de la rue des Chaumes, dit-elle avec un mouvement d'impatience. Je vais lui envoyer quelqu'un de sûr. Il faut que nous ayons dès cette nuit établi cette liste ensemble.

— Et s'il inscrit Navarre sur sa liste ? interrogea négligemment Monsieur en jouant avec le lacet de son pourpoint de soie.

Catherine, comme piquée, sursauta.

— Le mari de Margot ! Ah non, je ne permettrai pas qu'on y touchât. Et puis, plus tard, je peux avoir besoin de lui, conclut-elle.

Anjou parut content de cette réaction.

— Bien, ma mère. Cela m'aurait peiné de le savoir sous terre. Il est si gentil, Henriot.

Quelques instants plus tard, et sans qu'un mot fût ajouté, la litière s'arrêtait devant le pont-levis du Louvre.

*

82

— Oui, ma mère, dit Charles, Henriot est venu et je l'ai reçu ici même. Il m'a dit qu'il était délégué par ses amis et que ceux-ci sont décidés à retrouver eux-mêmes les auteurs de l'agression sur la personne de M. l'Amiral si M. de Thou n'allait pas assez vite à leur gré. Je leur ai répété que je lui avais donné l'ordre de faire diligence, mais...

— Mais quoi, mon fils ?

— ... qu'il fallait cependant donner le temps à la justice, qu'on n'avait encore aujourd'hui aucune preuve formelle à l'encontre des Guise et que... Ah oui, il m'a encore demandé si j'étais prêt à prendre l'Amiral sous ma sauvegarde personnelle, ici, au Louvre.

— Que lui avez-vous répondu ?

— Je lui ai dit que ma parole devrait suffire à le sauver de tout péril.

Il se tut, puis :

— Ai-je bien fait, ma mère ?

Attentive et glacée, debout au pied du lit où Charles se vautrait en chemise et la sueur aux tempes, Catherine écoutait, au-delà des explications de son fils, la rumeur sourde de Paris.

Nuit du 24 août 1572. Il y avait deux jours que Coligny gisait sur son lit de douleur. Barricadé dans son hôtel, son ombre formidable éployée sur la ville en chaleur hantait tous les esprits et portait à leur paroxysme les angoisses et les haines. Des cuirasses et des armes s'entassaient dans l'hôtel. Sollicité par Téligny, Anjou avait envoyé en renfort cinquante arquebusiers qui occupaient les abords de la demeure devenue place forte, et Henri avait fait venir cinq Suisses de sa garde personnelle et les avait placés dans l'antichambre du blessé.

— Répondez-moi, reprit Charles en frappant le drap de son lit d'un poing rageur, ai-je bien fait ce qu'il fallait envers vous et envers l'Amiral ?

Catherine alla lentement vers la fenêtre et jeta un regard sur le ciel chargé de nuages que la lune éclairait d'une lueur livide au-dessus de Saint-Germain-l'Auxerrois, puis revint vers son fils.

— Eh bien, c'est justement de l'Amiral que je suis venue vous parler, dit-elle de sa voix la plus douce. Il y a quelque temps

84

votre bon père a expédié de sa seule initiative et sans en référer au Conseil un contingent de huguenots aux Pays-Bas pour soutenir les Gueux de mer en révolte contre l'occupant espagnol. Cela au risque de valoir à la France une guerre avec la puissante Espagne – une guerre perdue d'avance pour notre malheureux pays, affaibli, divisé et au bord de la ruine. Mais peu importe à Coligny tout entier motivé par sa haine de l'Espagne qui ne ménage pas son soutien au clergé catholique dans son combat contre ceux de la Religion.

Médusé, ramassé sur son lit, Charles l'écoutait en silence.

— Et pour en terminer avec les plans de l'Amiral, conclut Catherine, je viens d'apprendre de source sûre que le contingent protestant a été écrasé à Mons.

Comme étourdi par cet acte d'accusation, mais s'entêtant dans ses sentiments, le roi se contenta de soupirer.

— Quoi qu'il en soit, je ne veux pas qu'on touche à l'Amiral.

— Est-ce le guerrier qui aurait mérité votre respect ? poursuivit Catherine, impitoyable. Ignorez-vous qu'il a échoué aux sièges de Boulogne et de Dinant, qu'il a capitulé à Saint-Quentin, qu'il a été battu à Dreux par François de Guise... ce même François de Guise qu'il fit assassiner par Poltrot de Méré, qu'il a encore été battu à Jarnac et à Moncontour par votre frère Anjou et par Tavannes ? À moins que ce soit à l'homme de paix auquel va votre affection, à l'homme qui ne fit rien pour réprimer les violences odieuses faites aux catholiques à Orléans... à l'homme qui ordonna après sa défaite à Jarnac les cruautés les plus affreuses à l'encontre des populations qu'il prétendait papistes... à l'homme enfin qui livra aux Anglais par le traité de Hampton Court les ports du Havre et de Calais ? Dites-moi, Charles, dites-moi ce qui vaut à M. l'Amiral que vous le traitiez comme un père ?

Abasourdi, le roi se rencogna un peu plus sur lui-même, et Catherine lui accorda une pause. Mais sa mère n'en avait pas fini avec lui.

*

Alors que cette scène se déroulait au Louvre dans la chambre du roi, une troupe nombreuse investissait, rue des Poulies, les abords de l'hôtel de Béthisy. Un jeune homme vêtu de noir, que ses lieutenants venaient consulter à voix basse, la commandait du geste. Et la troupe se déploya silencieusement. L'obscurité était totale et la nuit étouffante. Tapis le long des murs, les égorgeurs, armés de pistolets, d'épées et de poignards, avaient leurs yeux fixés sur Guise, immobile et debout dans un coin sombre. Il y eut un moment d'attente. Enfin, sinistrement, retentit le tocsin à Saint-Germain-l'Auxerrois. À ce signal Guise leva la main, et ses hommes se ruèrent sur la porte extérieure de l'hôtel.

Dans la cour intérieure où se trouvaient massés les défenseurs, le capitaine Cosseins, prêté à l'Amiral par Sa Majesté elle-même, sortant à la surprise générale une clef de sa poche, va ouvrir. Un Suisse s'interpose. Il le poignarde. Les reîtres d'Henri de Guise envahissent la cour et, le traître Cosseins en tête, se précipitent dans l'escalier menant chez l'Amiral. Entendant ce qui se passait, celui-ci, se sachant perdu, donne l'ordre à ceux qui l'entourent encore de tenter de s'enfuir.

— Mes amis, je n'ai plus que faire du secours humain. C'est ma mort qui arrive, et je la recevrai de la main du Seigneur. Sauvez-vous !

Et ses derniers fidèles, Cornaton, le jeune Yolet, son secrétaire Belon, le pasteur Merlin et le chirurgien Thomas lui obéissent. Ne reste plus près du vieil homme qu'un interprète allemand nommé Mass. L'Amiral s'est agenouillé au bas de sa couche. Cosseins et ses tueurs enfoncent la porte de la chambre. Un spadassin, Besme, lui porte un premier coup d'épée.

— Au moins, murmure l'Amiral, je mourrai de la main d'un cavalier et non de celle d'un goujat.

Besme s'acharne sur le vieil homme que Cosseins, à son tour, larde de coups.

— À toi, Gaspard de Coligny. Je suis Cosseins que le roi t'a prêté pour te défendre. Tiens, voilà de sa part !

Prenant à bras-le-corps le cadavre de l'Amiral il le jeta par la fenêtre en criant à Guise qui attendait dans la cour :

— Tenez, Monsieur, voici celui qui a tué votre père.

On a dit que le visage ensanglanté était méconnaissable au point qu'on dut lui passer un mouchoir sur les yeux pour l'identifier. Guise le reconnut et lui donna rageusement un coup de pied dans la poitrine.

— Maintenant, allons voir plus loin, dit-il, la nuit ne fait que commencer.

*

Dans la chambre du roi, au Louvre, à la même heure, attachée à son fils comme un tigre à sa proie, Catherine reprenait le fil de son réquisitoire implacable.

— Savez-vous, Charles, que votre très cher *père* est depuis longtemps au courant du complot que Philippe II a tramé pour vous faire tomber du trône et rassembler sous sa seule couronne les deux plus grands royaumes catholiques d'Occident, Espagne et France ?

Livide, Charles se leva d'un bond.

— Et il ne m'en aurait rien dit ? balbutia-t-il.

— Pas un mot parce que la maison de

Guise est dans le coup, qu'elle joue la carte espagnole et que votre Amiral voit dans sa trahison la meilleure des occasions d'en finir avec le parti catholique et de s'affirmer, lui, Gaspard de Châtillon, comte de Coligny, comme le chef de la résistance française à l'occupation espagnole.

Assommé par cette révélation, Charles retomba sur le lit, la tête dans les mains.

— Il doit déjà s'imaginer en maire du palais, juste au-dessous de vous, mais au-dessus de moi.

Un silence. Charles, prostré, ne bougeait plus. Catherine mit sa main sur son épaule.

— Avez-vous bien suivi ce que je vous ai dit, mon fils ?

— Je ne peux pas y croire, murmura-t-il dans un souffle.

— Et moi, reprit la reine avec une terrible douceur, me croirez-vous si je vous dis que cette après-midi j'ai reçu M. de Retz qui m'a appris, preuves à l'appui, qu'un complot protestant visait à s'emparer cette nuit même de ma personne, de votre frère Anjou et de ses conseillers ? Ne voulant pas vous tourmenter, j'ai pris tout de suite les mesures qui s'imposaient. Nous ne risquons plus rien maintenant, mais ce n'est pas la faute de M. l'Amiral, ajouta-t-elle perfidement.

À bout de nerfs, n'en pouvant plus, Charles éclata soudain en sanglots. Alors, la reine mère vint s'asseoir sur son lit, à son côté, et le roi, comme un pauvre enfant qui demande protection, mit sa tête sur ses genoux. Elle posa sa main sur sa nuque.

— Ne doutez plus jamais de mon affection pour vous, mon fils. Tout autant que votre frère Henri je vous aime. Il n'en est pas moins vrai que votre amour aveugle pour celui que vous appeliez votre père m'a donné de la jalousie, ajouta-t-elle avec une coquetterie parfaitement jouée.

— Que dois-je faire maintenant, ma mère ? interrogea le roi d'une petite voix dolente.

Une lueur de triomphe passa dans ses yeux jaunes. Elle était parvenue à son but qui était de reprendre le roi en main. Maintenant il ferait ce qu'elle voudrait.

— Votre premier devoir, mon fils, c'est sauver la concorde que nous sommes parvenus à rétablir entre tous vos sujets, en supprimant les quelques-uns qui risquent de la détruire. Et ensuite prévenir la subversion huguenote par un acte de justice souveraine. Ayez, Charles, le souci de votre autorité. L'Amiral est mieux obéi des hérétiques que vous ne l'êtes vous-même, de sorte que s'étant arrogé une telle puissance sur eux, vous ne pouvez plus vous dire roi absolu. Vous ne passez qu'après l'Amiral à leurs yeux. Prenez-en conscience, mon fils.

Charles passa sa main sur son front blême.

— Non, non, je ne peux pas le croire, répéta-t-il avec une obstination puérile.

— Vous le devez sinon vous êtes... nous sommes tous perdus. Acceptez, ordonnez l'élimination des cinq ou six grands noms qui conduisent les Réformés...

— Lesquels ?

— Téligny, La Rochefoucauld, La Force, par exemple. Cela devrait suffire à désarmer leur clan, et les Guise s'en chargeront avec plaisir. Ils s'attireront par le fait la vengeance des parpaillots qui feront tout, plus tard, pour les expédier à leur tour, nos encombrants cousins de Lorraine. Et alors, seulement alors, vous serez roi sans qu'aucune faction ne vous dicte votre politique.

Ah mon fils, que Dieu me garde en vie jusqu'à ce grand moment. Le plus grand moment de ma vie.

Il y eut un silence.

— Vous a-t-on dit, ajouta-t-elle avec émotion, que ce matin une aubépine desséchée s'est couverte de fleurs au cimetière des Innocents ? La résurrection du royaume, mon fils. C'est Dieu qui vous l'annonce par ce miracle.

Charles se redressa et passa sa main sur son front où la sueur collait ses mèches de cheveux. Il alla s'appuyer à la fenêtre et sonda d'un regard la nuit chaude, animée de rumeurs. Quand il revint vers Catherine son visage était éclairé par une joie mauvaise.

— Moi qui croyais qu'il me considérait comme son fils, marmonna-t-il. Moi qui l'aimais. Moi qui aurais tout fait pour le sauver. Ah, le traître.

Et se tournant violemment vers Catherine :

— En tête de votre liste, l'Amiral... et tous ses amis à sa suite.

Catherine eut un imperceptible frisson.

Cette fois il allait trop loin. Allait-elle pouvoir le contrôler ?

— Je crois, dit-elle, que nous pouvons nous en tenir à cinq. Ce n'est pas un massacre que nous voulons, mais seulement la misc hors de combat de quelques dangereux meneurs. Leurs noms sont là, nous attendons sur eux votre accord.

Elle avait sorti un papier de sa ceinture qu'elle tendit à Charles, mais celui-ci se contenta de le froisser et le jeta rageusement sur le sol.

— Cinq, dit-il, vous plaisantez, ma mère. Il faut les tuer tous... oui, tous les parpaillots, connus et inconnus. On dit qu'ils sont dix mille à Paris. Eh bien, je veux qu'il n'en reste pas un demain pour me le reprocher.

Et il sortit d'un pas somnambulique, sans que sa mère, épouvantée, songeât même à le retenir.

*

Rentrée dans ses appartements, Catherine s'assit tout de suite à sa table et se mit à écrire.

« *Henri, je vous commande expressément de revenir chez vous, de désarmer vos hommes et de vous garder bien de ne rien entreprendre pour le moment sur l'Amiral et sur aucun des siens. Nous devons nous revoir avant. Ce sont commandements faisant cesser le reste.* »

Elle signa, cacheta sa missive et appela avec une clochette en vermeil.

*

Charlotte de Beaune-Semblançay, épouse de Simon de Figes, baron de Sauve, était une très jeune et jolie femme blonde aussi douée pour l'intrigue que pour l'amour. Remarquée par la reine mère, à laquelle son charme et la liberté de ses mœurs avaient plu, elle était devenue très vite la perle de son *escadron volant*. Séductrice par vocation autant que par métier, elle excellait à se faire confier sur l'oreiller les arrière-pensées les plus compromettantes de ses amants, servant ainsi au mieux la politique secrète de Catherine. Au point que celle-ci ne pouvait plus se passer de sa présence, l'obligeant à dormir quand elle n'était pas en mission dans un cabinet attenant à sa chambre.

Et c'est elle, Charlotte, qui répond encore sommeillante à l'appel de la clochette.

— Passe un manteau ma fille, trouve Henri s'il est encore au Louvre, et remets-lui ce pli de toute urgence. Il en va de la vie de beaucoup d'hommes.

— Quel Henri ? demanda Charlotte en étouffant un bâillement ? J'en connais trois, Monsieur, Navarre et...

— Ton amant actuel, le Guise, l'interrompit Catherine avec impatience. Il est peut-être encore temps. Allons, dépêche-toi, et ensuite reviens ici me rendre compte.

À peine hors de la chambre, Charlotte eut l'impression d'être entrée dans un cauchemar. Dans les couloirs, les escaliers, les corridors, la tuerie avait commencé. Des appels, des cris étouffés retentissaient de tous les points de la lugubre forteresse. Sentant ses jambes se dérober sous elle, la jeune femme s'appuya d'une main à un mur, mais il était gluant de sang, et elle la retira avec horreur. Son pied cogna contre la première marche d'un escalier intérieur qu'elle allait emprunter dans son désir de fuir vers le haut les signes avant-coureurs du carnage quand un cadavre mutilé déboula vers elle. Et quand, épouvantée, elle eut reculé devant lui ce fut pour se heurter à un reître qui, en riant, lui saisit les seins par-derrière. Parvenant à lui échapper au prix de son manteau qu'elle abandonna dans ses mains, elle retourna sur ses pas, croisant de petits groupes d'hommes armés portant une croix blanche en étoffe sur leur costume ou leur chapeau. Et dans tout le château les échos, les rumeurs et l'odeur de la chasse à l'homme. À chaque marche d'escalier ou angle de couloir, la peur de découvrir un assassin ou une victime expirante. Était-elle soudain devenue folle, ou vivait-elle réellement ce cauchemar que sa raison se refusait à admettre ?

Soudain, et sans savoir comment elle était arrivée, elle se retrouva devant la porte de la reine mère où, désespérément, elle frappa de ses deux petits poings. Catherine lui ouvrit. Hagarde, sa chemise ensanglantée, elle s'évanouit dans ses bras, et Catherine comprit alors qu'il était trop tard et que plus rien ne pouvait enrayer l'effrayant mécanisme qu'elle avait contribué à déclencher.

S'enveloppant dans son manteau, elle sortit précipitamment.

*

— Qui a bien pu vouloir cela ? dit Henri l'oreille tendue vers le grondement sourd dont résonnait le Louvre.

— Personne sans doute, répondit Marguerite qui arpentait nerveusement la chambre. Je me refuse à croire que le roi ou ma mère ou les Guise aient pu décider de sang-froid le développement de cette horreur, même s'ils en ont eu l'idée. Ils ont dû être dépassés par les événements. La panique, l'affolement ont fait le reste.

Henri se prit la tête dans les mains.

— Et tous mes compagnons, tous mes amis qui m'ont fait confiance en m'accompagnant à Paris et sont tombés dans le piège ! Je ne me le pardonnerai jamais. Et que faire ? Que dois-je faire ? Y a-t-il seulement quelque chose à faire ?

— D'abord vous devez vivre, Henri, murmura Marguerite. Vos compagnons ne périront pas tous. Pensez à eux. À cette heure, M. l'Amiral qui avait rassemblé tant de haine sur lui doit être mort, ou ce serait miracle, et vous êtes le seul autour duquel les protestants peuvent se rassembler. Ils n'ont plus de chef maintenant et ont besoin de vous.

Avec quelques amis d'Henri, Nonneins, Piles, Nançay... ils s'étaient retranchés dans la chambre de Marguerite, et le tumulte extérieur, les imprécations, les râles de ceux qu'on égorgeait depuis que le tocsin avait sonné à Saint-Germain-l'Auxerrois ne les renseignaient que trop bien sur l'étendue de la tuerie. Mais que faisaient le roi et sa mère ? Étaient-ils seulement encore en vie ?

Soudain, Marguerite se dirigea résolument vers la porte.

— Où allez-vous, Margot ?

— Voir où en sont les choses. Je ne cours aucun risque. Je suis fille de France, ajouta-t-elle fièrement.

— Je vous en prie, ne sortez pas, dit Henri en la retenant par le bras. Vous allez avoir affaire à des fous. Ils peuvent bien ne voir en vous que la femme d'un homme qu'ils haïssent. Et puis vous êtes notre seule protection. S'ils s'introduisent dans cette chambre, je suis, sans vous, un homme mort.

Un instant Marguerite hésita. Henri avait raison. Mais comment elle, princesse royale mariée à un roi, pouvait-elle accepter l'humiliation d'être traitée comme une proie, prisonnière d'une bande de soudards ?

À ce moment, des coups violents ébranlèrent la porte. Folle de rage et superbe dans sa colère, elle ouvrit. Deux gardes, saisis à sa vue, la saluèrent.

— Nous venons, dit l'un d'eux, de la part de Sa Majesté pour chercher le roi de Navarre.

— Et où devez-vous le conduire ?

— Chez le roi, dans son cabinet.

Les compagnons d'Henri se groupèrent autour de lui.

— Nous vous ferons escorte.

— Non, merci, mes amis, dit Henri avec émotion. J'irai seul et sans crainte. Ne suis-je pas sous la protection du roi ?

Il embrassa sa femme et sortit de la chambre, encadré par ses deux gardiens.

À leur passage, les visages des hommes qui avaient reconnu Henri se fermaient, des insultes étaient proférées, mais beaucoup plus que ces marques d'hostilité à son égard, c'était à chaque pas les preuves du bain de sang qui consternaient Henri. Oui, le Louvre, cette nuit-là s'était mué en lieu d'équarrissage. Henri ne pouvait plus en douter maintenant : le massacre n'avait pas été improvisé, mais préparé soigneusement. Les croix d'étoffe blanche que les tueurs arboraient sur leurs vêtements auraient à elles seules suffi à le prouver : cette nuit de la Saint-Barthélemy avait eu en haut lieu ses organisateurs, le crime avait été prémédité. Mais par qui ? Catherine, les Guise, le prévôt des marchands, chef de la milice bourgeoise, ou encore le peuple de Paris qui haïssait les parpaillots, Henri s'en était aperçu, et supportait de moins en moins les provocations que les plus excités d'entre eux multipliaient depuis le mariage royal ? À moins que tous ces éléments ne se fussent fondus en un seul mouvement de haine et que la Saint-Barthélemy eût été, en France, un drame inéluctable inscrit dans le destin du calvinisme...

Henri, marchant entre ses deux gardiens, se promit, si Dieu lui prêtait vie, de réfléchir à cette grande question.

*

Comme une hyène en cage, Charles tournait le long des murs. Ruisselant de sueur, livide, il semblait fuir un mal mystérieux dans la décision qu'il avait prise, fuir désespérément ce qui restait de raisonnable en lui. Chaque fois qu'il passait devant la crédence qui occupait un des coins de son cabinet, il remplissait sa coupe et la vidait d'un trait. On eût dit un homme traqué qui cherchait dans l'ivresse l'oubli de son forfait. Et il était le roi, il avait été appelé au trône !

À l'entrée de Navarre il se rua vers lui et hurla :

— Henriot, tu vas abjurer... abjurer tout de suite. Je ne veux plus avoir affaire à aucun parpaillot, et ce n'est pas parce que tu as épousé ma sœur que je ferai exception pour toi. Par Dieu, abjure dans l'instant ou bien...

Il avait poussé son cousin dans un angle du cabinet et le tenait pressé. Henri eut peur. C'était un fou qu'il devait affronter.

— Oui, Sire, j'abjurerai, dit-il en s'efforçant de conserver son calme. J'abjurerai
puisqu'il le plaît à Votre Majesté, mais je lui
demande un délai pour être instruit dans la
religion catholique.

— Aucun délai. Elle est la meilleure et la
seule. Entends-tu, Henriot ? C'est la messe
ou la mort. Tu vivras catholique ou je te tue.

Il avait pointé un stylet sur la gorge de
son cousin qui suffoquait quand tout à coup
Catherine surgit de l'ombre et lui saisit
vigoureusement le poignet. À la vue de sa
mère, Charles fit en titubant un pas en
arrière et se passa la main sur le front, puis
se tenant aux murs il gagna la porte et sortit.

Catherine et Henri échangèrent un long
regard.

— Que puis-je encore ? murmura la reine
à voix basse, et bien qu'elle lui eût sauvé la
vie, Henri crut percevoir dans sa voix
quelque chose de faux.

— Je ne sais pas, Madame, répondit-il. En
ce qui me concerne, c'est d'une cotte en
mailles d'acier dont j'aurais le plus besoin
cette nuit. Mais il est un peu tard pour
vous la demander. Avec votre permission, je

vais cependant essayer de ne pas me faire égorger.

À son tour il sortit du cabinet. Ses deux gardiens étaient à la porte. Les précédant d'un pas, il revint vers la chambre où l'attendaient sa femme et ses amis.

*

Dans une haute salle éclairée brillamment se pressait une foule élégante. Des couples dansaient au son des violons, des rires et des plaisanteries fusaient, quelques enfants couraient parmi les groupes. Il y avait longtemps que le Louvre n'avait connu cette animation joyeuse.

Aux fenêtres grandes ouvertes sur les ténèbres étouffantes des jeunes femmes en robe de bal se bousculaient pour applaudir : en bas, sur les quais de la Seine, se poursuivaient les épisodes de la chasse à l'homme, et ses rumeurs parvenaient aux danseurs à travers la musique.

Au milieu de la salle, assis dans un fauteuil qui tournait le dos aux fenêtres, un homme au regard vide, à la mine hébétée, semblait ne rien entendre et ne rien voir :

le roi, et c'était un étrange spectacle que celui de ce spectre vêtu de noir, enseveli dans son mutisme, au centre des couleurs et des sons de cette nuit de fête.

Par la porte du corridor qui s'ouvrait sur la salle apparut un grand diable d'homme à barbe rousse, vêtu d'un justaucorps usé de cuir fauve et qui avait passé dans sa ceinture un de ces poignards de Tolède à large lame, employé couramment en vénerie. Il portait un paquet sous son bras et vint mettre un genou au sol devant le roi.

Le silence se fit autour d'eux.

— Sire, dit-il, je me nomme Petrucci, je suis gentilhomme piémontais, tout dévoué au service de Votre Majesté à laquelle je me fais un devoir de montrer quelque chose.

Et déroulant le linge avec une lenteur théâtrale, il tend au roi, tenue par les cheveux, la tête coupée de l'Amiral. Fasciné Charles lève les mains vers elle, essaie de la toucher, mais Petrucci la lui dérobe.

— Je supplie Votre Majesté de ne pas m'en vouloir, mais elle est attendue à Rome... Il me faut la faire embaumer avant de l'envoyer à Notre Très Saint-Père, Sa Sainteté Grégoire XIII.

À ces mots tous les spectateurs éclatèrent en applaudissements, les violons recommencèrent à jouer et les couples à danser. Ce fut à cet instant qu'Henri, passant devant la porte ouverte à deux battants, vit Charles s'affaisser en arrière, évanoui.

Quand Navarre réapparut dans la chambre de Marguerite, elle eut un grand élan vers lui.

— Henriot ! Dieu merci. Nous pensions sans oser nous le dire, vos amis et moi, que nous n'allions plus nous revoir. Que vous a dit mon frère ? Et ma mère, l'avez-vous vue ?

Henri fit signe qu'il ne pouvait parler encore et vint s'asseoir au pied du lit, la tête dans les mains.

Du plafond, des gouttes de sang commencèrent alors à tomber sur le drap, une à une.

*

En cette lumineuse matinée du 30 mai 1574, le château de Vincennes avait un peu perdu de son caractère inquiétant. La garnison qui l'occupait ne donnait qu'un semblant de vie à la forteresse. Un seul homme était de garde devant la chambre où depuis la veille au soir le roi était entré en agonie. Hanté par les spectres sanglants de la Saint-Barthélemy, il y avait des mois qu'il avait fui le Louvre, mais les fantômes l'avaient suivi dans son dernier refuge, empoisonnant ses jours et le traquant jusque dans son sommeil. Ainsi était-il arrivé au terme de sa vie misérable.

D'une voix faible il appela. Personne ne lui répondit. Alors dans un accès de rage, il balaya d'un geste la table de chevet, jetant par terre un chandelier qui roula bruyamment.

Une femme parut sur le seuil de la chambre et s'approcha du lit, impassible.

— Que voulez-vous, mon fils ?

— Mon frère. Va-t-il venir enfin ?

— Il est certainement en route.

Elle observa un instant le visage amaigri de Charles.

— Pourquoi avez-vous dit « mon frère » puisque Henriot n'est que votre cousin ?

— Parce qu'il est mon frère plus qu'Alençon qui ne m'est rien et qu'Anjou qui espère ma mort, répondit-il d'une voix faible. Au moins l'avez-vous fait mander ? Jurez-le-moi, ma mère.

— Je lui ai dépêché quelqu'un à l'aube.

— Mais l'aube est loin et il n'est pas encore là.

— Il ne tardera plus, dit Catherine en se redressant. Une dame l'aura sans doute retenu au lit. Vous le savez, il n'aime pas dormir seul.

— Ah ma mère, murmura Charles en retombant, trempé d'une mauvaise sueur sur les oreillers de son lit, il était dit que jusqu'au dernier moment je vous tiendrais en défiance.

Sans même lui répondre, elle sortit tranquillement de la chambre.

*

En ce même moment, trois cavaliers arrivaient au galop à travers la forêt en vue des murailles du château.

Henri qui précédait les deux gardes que Catherine avait attachés à ses pas, MM. de Saint-Martin et d'Espalungue, se retourna vers eux.

— Dieu veuille que nous arrivions à temps. J'ignorais qu'il fût au plus mal. Et vous, Messieurs ?

— Tout ce que nous savons, répondit prudemment M. de Saint-Martin, c'est que depuis trois jours Madame Catherine est à Vincennes à son chevet.

— Elle veille sur lui, ajouta d'un air important M. d'Espalungue qui n'était pas le plus intelligent des deux.

— Oui, dit Henri, en réprimant un sourire, et quand on sait combien elle chérit son fils, on est rassuré sur son sort.

Les deux gardes échangèrent un regard étonné : l'ironie du propos leur avait manifestement échappé.

*

À l'entrée de Navarre dans l'antichambre, au premier étage du donjon, Catherine se leva.

— Ne le fatiguez pas à bavarder, chuchota-t-elle. Il a de la fièvre et ne sait plus très bien ce qu'il dit.

Henri pénétra dans la chambre et vint s'asseoir au chevet du moribond qui tout de suite chercha sa main.

— Merci, Henri... merci d'être venu, articula-t-il avec peine. J'avais une chose à vous dire. Il fallait que vous le sachiez de ma bouche : hier elle m'a fait signer un acte de régence. Elle sait que je vais mourir, et... je... oh mon Dieu.

Il balbutia quelques mots sans suite, et Henri crut qu'il n'irait pas plus loin. Mais il reprit pourtant d'une voix à peine perceptible :

— Elle a tout machiné. Je ne sais même pas... Elle avançait les feuilles sous ma main. Je n'avais pas le temps de lire. Et même si elle m'en avait donné le temps je n'aurais pu le faire. Je n'y vois plus qu'à peine.

Henri pressa avec douceur sa main moite.

— Sire, reposez-vous, je ne vous quitte pas.

Charles tourna péniblement son visage vers la fenêtre où s'encadrait un coin de ciel bleu.

— Il fait si beau... murmura-t-il, puis son regard revint à Henri : Je voulais encore vous dire... Ne cessez pas de la tenir en méfiance. Elle est... Oh ! Henri, si vous saviez tout ce qu'elle a pu obtenir de moi, cette nuit-là...

— Je sais, dit Henri à voix basse.

Haletant, les traits convulsés, Charles reprit, avalant avec peine.

— Et veillez sur Margot autant que vous pouvez. J'aurais voulu la voir avant de m'en aller, mais je n'ai pas voulu lui faire de la peine... Êtes-vous toujours... mariés ?

— Oui, Charles, nous le sommes toujours, et elle va très bien. Nous nous aimons beaucoup. Ne vous faites pas de souci pour Margot.

— C'est une bonne fille, reprit Charles, le souffle de plus en plus court, une fille qui n'a pas eu de mère. Anjou est bien le seul que la reine ait jamais aimé. Moi non plus, elle ne m'aime pas. Même aujourd'hui, à mon dernier souffle, elle ne m'aime pas.

Henri, penché vers lui, ne faisait plus que deviner les mots sur ses lèvres exsangues.

— Veux-tu bien m'embrasser, Henriot ?

Ému, Henri l'embrassa sur le front.

— Que j'ai eu un méchant conseil, et que de sang, que de cadavres. Oh Dieu, pardonne-moi. Fais-moi miséricorde.

Sa tête retomba. C'était la fin. Henri lui ferma doucement les yeux, se leva et alla chercher Catherine.

Elle alla vers le lit, se signa et impassible, les yeux secs, dit à Henri :

— Il me faut rentrer maintenant. Accompagnez-moi, s'il vous plaît. Nous avons à parler.

*

Dans la litière qui s'éloignait du château et que suivaient deux cavaliers dont l'un tenait le troisième cheval par la bride, Henri et Catherine restèrent un moment silencieux. Charles défunt, Catherine régente, en quoi la situation d'Henri à la cour allait-elle en être affectée ? Toujours sous haute surveillance au Louvre, roi sans royaume, époux sans femme et prince sans amis, depuis bientôt deux ans que Catherine le tenait prisonnier dans sa cage dorée, aucune occasion de s'évader ne s'était présentée. Il en était réduit pour endormir la méfiance de ses gardiens à affecter un air d'insouciance et de contentement dont il n'était même pas sûr qu'il dupât Catherine, experte à décrypter toutes les grimaces humaines. Et ce masque, de mois en mois, lui pesait un peu plus.

— Charles a-t-il eu le temps de vous dire... commença Catherine sans regarder Henri.

— ... qu'il priait Dieu de lui faire miséricorde, oui, l'interrompit Henri peu soucieux d'être poussé aux confidences.

La reine mère hocha la tête.

— Le pauvre enfant ! La foi lui est venue en même temps que le remords. Non... Je pensais à cet acte signé devant témoins, et qui me met en charge du royaume.

Et comme Henri se taisait prudemment, elle ajouta :

— Me voici donc régente jusqu'au retour d'Henri de Pologne.

— N'est-il pas déjà roi à Varsovie, élu par la Diète ? risqua Navarre.

— Il ne faisait qu'y attendre le trône de France. Je lui ai dépêché un courrier, il y a de cela trois jours.

Henri, malgré l'empire qu'il avait sur lui-même, eut un tressaillement : trois jours avant, Charles vivait encore. Comme si elle eût lu dans sa pensée, Catherine ajouta :

— Oui, je sais, Charles n'a passé que ce matin, mais il n'y avait pas de temps à perdre.

— Je comprends, murmura simplement Henri, glacé par cette annonce.

— Ainsi dans quinze jours, reprit tranquillement Catherine, la France aura le roi que je lui désirais... et qui vous aime bien, Henri, malgré vos petites chamailles.

Anjou qui avait giboyé le parpaillot la nuit de la Saint-Barthélemy et qui, au même titre que Catherine et Guise, pouvait être compté comme un des organisateurs de la tuerie ! Vos petites chamailles... Henri tourna la tête et s'absorba dans le spectacle de la forêt ruisselante d'une lumière dorée. Il était maintenant décidé à forcer le cours du destin en s'échappant au plus vite du Louvre pour rejoindre Nérac. Depuis l'assassinat de l'Amiral, les calvinistes n'avaient plus de chef et leur cause plus d'âme. Assiégés dans quelques places fortes – La Rochelle, Sancerre, Sommières... – ils en étaient réduits à des activités sporadiques où s'usaient sans profit leurs énergies. Et lui-même, Henri, obligé de se convertir à la messe le poignard de Charles sur la gorge et ainsi devenu suspect aux deux camps, n'avait-il pas tout à craindre maintenant que la France allait avoir un roi selon le cœur de Catherine ? De quelle utilité pouvait-il lui être encore sur son échiquier politique ? Son mariage avec une fille de France suffirait-il à lui sauver la vie si l'implacable Florentine jugeait qu'il était devenu un pion superflu ? Il s'absorbait dans ses réflexions quand elle reprit sourdement la parole, et plus, semblait-il, pour elle-même que pour son interlocuteur.

— François dont le sang s'écoulait par l'oreille et le pus par la bouche... Charles, l'esprit débile et les poumons gâtés... Tous les deux sur le trône encore enfants et enterrés avant que d'être devenus des hommes.

Elle s'interrompit un instant :

— Ne me reste qu'Henri.

— Et Alençon, votre cadet.

— Ne parlons pas de celui-là. Un ragoteur, un hypocrite qui voudrait obtenir de moi la lieutenance du royaume alors qu'il se ferait un bonheur de ma mort. J'aimerais mieux encore vous la donner à vous, un Bourbon, plutôt qu'à ce rejeton des Valois, cette race lépreuse.

Un silence suivit ces mots terribles. « Elle

115

me parle comme à un mort, pensa Henri. Mais peut-être pour elle en suis-je déjà un. »

— Je suis lasse de la porter, cette famille, acheva-t-elle en soupirant.

— Je vous entends, Madame, je vous entends fort bien, répondit-il.

C'était la première fois en effet qu'il ne mettait pas sa parole en doute.

*

À quelques mois de là, tenant Charlotte par la main il parcourait nonchalamment un long couloir du Louvre.

— Ah Charlotte, s'exclama-t-il gaiement, si je ne vous y tenais pas avec moi, ce château me serait une geôle. Mais y ayant la liberté de vous aimer, c'est sans vous, hors ses murs, que je me sentirais en prison. Si je le criais aux messieurs qui ne nous perdent jamais de vue, ajouta-t-il en souriant, pensez-vous que j'aurais une chance de les convaincre ?

La jeune femme éclata de rire.

— Aucune chance si vous m'en croyez. Ce sont de braves gens, mais fort butés.

Elle fit un sourire par-dessus son épaule à

MM. d'Espalungue et de Saint-Martin qui leur faisaient cortège.

— Ils ont une consigne, et aucun argument ne fera qu'ils ne l'appliquent à la lettre. Cela dit, ils sont fort civils, et pour ma part leur surveillance m'est légère.

— Oui, vous avez raison, admit Henri. N'allons pas les troubler dans leur emploi. Ils ne me seraient importuns qui si me tenaillait l'envie d'une escapade et comme je me sens fort bien où je suis...

Ils étaient parvenus devant l'appartement que Catherine avait fait donner à Henri. Prenant Charlotte dans ses bras, il lui murmura à l'oreille quelques mots qui la firent rosir de plaisir. Puis il rentra chez lui.

Sitôt le seuil franchi, le sourire qu'il affichait s'effaça. Comme s'il étouffait, il alla ouvrir la fenêtre défendue à l'extérieur par des barreaux de fer et jeta un coup d'œil dans la cour : sous son appartement un garde était de faction. Ainsi en était-il depuis des mois. Charles était mort, Anjou « mes chers yeux », comme disait Catherine, lui avait succédé sur le trône, mais lui, épié par ses gardiens le jour et la nuit par sa maîtresse qui rapportait fidèlement à la reine mère le moindre de ses propos, lui était toujours prisonnier du Louvre.

Excédé, furieux, il se laissa tomber dans un fauteuil. Partagé entre le besoin de s'enfuir en prenant tous les risques, et cette prudence rusée qui était un des traits essentiels de son caractère, il ne trouvait de distraction qu'au lit avec la perfide Charlotte dont la beauté et les talents de courtisane apaisaient un instant sa sensualité et meublaient son désœuvrement. Charlotte... Il avait passé la nuit avec elle, mais déjà son désir renaissait. Heureusement, Catherine y veillait, elle était de jour et de nuit à sa disposition, et le jeu qu'il était obligé de jouer avec elle excitait encore l'envie qu'il avait de son corps. Cédant rageusement à elle, il alla à sa table, prit une plume et du papier et écrivit !

> « *Charlotte, nous nous quittons à peine et déjà je m'ennuie de vous. Venez plus tôt, si je ne vous rebute pas. Faites-moi oublier le temps dont je ne sais que faire maintenant que la France a retrouvé un souverain et que personne n'a plus besoin de moi. Le temps me dure et seul l'amour le fait passer. Avec vous, mon cœur, il n'est jamais perdu.* »

Il ferma le billet, mais sans le cacheter, ouvrit la porte et le tendit à Saint-Martin qui était à trois pas.

— Monsieur de Saint-Martin, pouvez-vous, je vous prie, apporter cette lettre à Mme de Sauve ?

Saint-Martin appela Espalungue qui prit sa place et courut sans tarder chez la maîtresse de Navarre.

*

Charlotte était nue sur son lit, à plat ventre et cambrée, et Henri caressait sa croupe laiteuse qui offrait à ses mains ses rondeurs jumelles. Ils venaient de faire l'amour, mais Navarre n'avait pas épuisé le plaisir que lui donnait ce jeune corps nacré, tiède et charnu. Si aimer pouvait se concevoir en excluant le don du cœur, il aimait Mme de Sauve.

— Ah Charlotte, lui murmura-t-il à l'oreille, je ne vois pas ce que j'irais chercher plus loin que toi. Si tout m'était donné et que tu me manquais, je n'aurais rien, et j'ai tout en t'ayant. Ton corps est mon royaume.

Elle eut un petit rire perlé.

— Que diraient vos amis du dehors, Sire, s'ils pouvaient vous entendre ? Moi, pauvre petite femme, je suffirais à vous faire oublier vos huguenots, la Navarre et tous vos plans d'évasion ? Je ne peux pas vous croire.

C'était l'agent de Catherine qui venait de parler et qui s'apprêtait maintenant à noter sa réponse, Henri n'en douta pas, et l'esprit en alerte il entra à nouveau dans son jeu.

— Ne crois pas que je sois content de moi en te disant que je me complais dans les fers. Il est vrai que si je pouvais t'emmener, fuir serait un bonheur sans ombre, mais comme tu n'abandonneras jamais pour moi, je le sais, ta situation à la cour, eh bien, je te le dis, je préfère t'aimer en prison qu'être libre sans toi.

Elle se coula contre lui, roucoulante.

— Si je pouvais vous croire, Henri...

Il se dispensa de répondre en la serrant très fort contre lui.

*

— M. de Bellegarde demande à vous voir, Sire.

C'était la voix de Saint-Martin qui provenait de l'antichambre.

— Il est toujours le bienvenu, dit Henri. Qu'il entre.

Bellegarde, toujours fringant, apparut aussitôt sur le seuil, et à la vue de la jeune femme qui n'avait pas esquissé le moindre geste pour recouvrir sa nudité, il salua profondément.

— Madame, c'est Vénus qui m'accueille en votre personne. Je n'aurais jamais cru que tant d'appas et de beauté pouvaient être admirés en une seule créature. Mais peut-être avez-vous accédé en cette vie au Mont Parnasse et êtes-vous déjà devenue immortelle. Ah, Sire, les dieux sont avec vous puisque Madame est dans vos bras.

Et il plongea dans un nouveau salut encore plus profond que le premier.

— Ne serais-tu venu que pour faire le joli cœur ? dit Henri en se rhabillant. Alors je t'en voudrais, car je n'en avais pas fini avec Madame.

— Même si j'avais su la vision qui m'attendait je ne me serais pas permis d'interrompre votre entretien avec Madame, Sire, mais je sors à l'instant de chez le roi qui m'a chargé de vous trouver et de vous ramener à lui.

— Le roi... le roi voudrait me voir ?

— Il vous attend.

— T'a-t-il fait pressentir ce qu'il me veut ?

— Non, mais il est de belle humeur et je pense que vous n'avez rien de fâcheux à redouter.

— Quoi qu'il en soit, quand le roi vous convoque, on obéit, dit Henri, et accordant un dernier baiser à Charlotte, folle de curiosité, il suivit Bellegarde.

*

Sa Majesté, assise devant la cheminée, jouait avec son lévrier. Quand Navarre fut introduit Elle se leva souplement et vint le prendre dans ses bras. Henri était toujours un long jeune homme à l'élégance extrême, aux manières nonchalantes et aux beaux yeux fardés d'une pâleur étrange.

— Henriot, quelle joie de vous voir dans le particulier. J'ai toujours eu pour vous, vous le savez, une affection fraternelle et me souviens encore de nos jeux lorsque nous étions enfants. Les tracas du pouvoir m'ont complètement absorbé depuis mon retour de Pologne, et ce n'est qu'aujourd'hui que je trouve le temps de causer avec vous. Mais d'abord, parlez-moi de votre santé. Ne vous sentez-vous pas quelque peu... confiné entre les murs du Louvre, vous qui aimiez tant les chevauchées dans les campagnes ?

Tout en jouant distraitement avec le collier de son chien, il n'avait pas quitté Henri du coin de l'œil, et celui-ci eut la désagréable impression qu'un piège s'ouvrait devant lui.

— Il est vrai, Sire, répondit-il en prenant garde à chacun de ses mots, oui, il est vrai que ma complexion a toujours réclamé un exercice auquel elle s'était habituée et dont me prive en ce moment la vie de cour.

— Mais si j'en crois ce qu'on murmure, à cet exercice qui vous manque auriez-vous trouvé une juste compensation avec une des plus belles personnes qu'on puisse fréquenter au Louvre, remarqua suavement le roi.

— Elle est en effet fort aimable et veut

bien m'honorer de ses faveurs, admit Henri avec simplicité.

— J'en suis heureux pour vous, cher Henriot, mais quels que soient les charmes de Mme de Sauve, j'ai peine à croire qu'ils vous comblent au point de vous faire oublier votre cheval entre vos jambes et vos amis... vos vrais amis, autour de vous.

Henri étudia un soupir.

— Le nier serait vous tromper, Sire, et j'en aurais remords. Il est vrai que les souvenirs de ma vie de jadis viennent quelquefois m'attrister, mais puisqu'il plaît au roi de me tenir au Louvre, il me faut bien me résigner à y trouver mon établissement.

— Et sans jamais penser à l'avenir ? insista malicieusement le roi. Combien de temps encore vous voyez-vous comblé dans les bras de Mme de Sauve ou d'une de ses amies que ma mère tient à votre disposition ? Allons, cher Henriot, ne me décevez pas en m'affirmant que vous êtes heureux d'être notre captif...

Henri se tut, embarrassé. Où le roi voulait-il en venir ? Parlait-il en accord avec sa mère ou avait-il à cœur d'affirmer dans ses

relations avec Henri son indépendance à
l'égard de la tyrannie maternelle ?

— Sire, risqua-t-il enfin, me trompé-je en
pensant que vous méditez de me proposer
quelque chose... quelque chose dont je suis
curieux, bien entendu ?

— Vous ne vous trompez pas. J'ai à vous
proposer une mission qui vous mettra à
même de travailler au bonheur de nos peuples et vous redonnera un rôle primordial
au sortir des événements que vous savez.

Il se tut un instant sans cesser de jouer
avec son lévrier.

— Henri, je vous offre le titre que convoi-
tait mon frère Alençon, mais que vous me
semblez plus apte à porter : voulez-vous être
lieutenant général du royaume de France ?

— Moi, Sire, balbutia Henri, moi, un
Bourbon, lieutenant général du royaume
de France ?

— Pourquoi pas un Bourbon ? Vous des-
cendez du sixième fils de Saint Louis, et
vous avez depuis deux ans abjuré le calvinisme. Aucun prince ne peut mieux que
vous ramener vos amis huguenots des provinces du Midi dans le sein de l'Église. Oui,
tel sera le but de votre mission : refaire

l'unité des Français, politique et religieuse. Acceptez, Henri... pour la France.

La proposition était pire que tout ce qu'il avait imaginé. Comment allait-il se tirer de cette dangereuse affaire...

— Sire, c'est trop d'honneur, murmura-t-il, mais si vous pensez que la France a besoin de moi à ce poste, je l'accepte, et vous en suis reconnaissant, du fond du cœur.

*

Il était si préoccupé en sortant du cabinet du roi qu'il n'aurait su dire qui, de MM. de Saint-Martin ou d'Espalungue, l'attendait dans le corridor. Tout en réfléchissant il revenait chez lui quand son gardien le vit s'arrêter et faire volte-face. Margot... Sa seule véritable amie au Louvre. À elle seule, il pouvait se confier.

*

— Margot, dit-il, en entrant chez la princesse après s'être fait annoncer par Dariole, sa femme de chambre, j'ai besoin de votre conseil...

Et il lui conta en détail son entretien avec le roi.

Dans sa robe de soie abricot rehaussée de dentelle, elle était, ce jour-là, si belle qu'Henri, comparant en esprit sa maîtresse et sa femme, ne put que donner l'avantage à cette dernière. Mais il n'était pas là pour mettre leurs charmes en balance.

— Je n'ai pu refuser la proposition du roi, termina-t-il, mais l'accepter n'est-ce pas tomber dans le piège ? Qu'en pensez-vous, Margot, vous qui connaissez mieux que moi les arcanes de la politique ?

Elle réfléchit un instant.

— Dès qu'ils auront appris que le roi a pensé à vous pour leur prêcher la messe, vous deviendrez suspect aux huguenots, dit-elle enfin, et sans doute est-ce le dessein secret de mon frère. Tant que vous êtes prisonnier au Louvre, vous donnez à rêver aux Réformés qui vous croient contraint et forcé et espèrent qu'un jour vous vous évaderez pour vous mettre à leur tête. Mais vous voyant venir à eux avec l'aval du roi ils ne peuvent vous considérer que comme un traître. Attention, Henri, vous jouez là une partie qui peut être mortelle.

— Eh oui, Margot, murmura-t-il, la mine grave, c'est bien ainsi que je pressens la situation, mais cette lieutenance pouvais-je la refuser au roi au risque d'être éliminé comme un pion devenu superflu ? Traître au regard des protestants ou poignardé dans quelque coin sombre par les sbires du roi... comment puis-je me tirer de cette alternative ?

— En vous évadant au plus vite, dit Margot d'un ton ferme, oui, en vous évadant avant que la nouvelle de votre nomination ne se soit répandue. Ralliez sans tarder le camp de vos amis et racontez-leur tout. Ils vous accueilleront en héros. Si vous ne voulez pas vous perdre à jamais à leurs yeux, vous devez fuir.

— Vous m'en avez persuadé, mais il me faut d'abord endormir la méfiance de Dame Catherine.

— À ce sujet, j'ai peut-être une idée.

— Sans doute la même que la mienne.

Ils eurent un sourire complice.

— Un ami qui vous attendrait dehors ne serait pas non plus de trop, reprit Margot.

— Certes non, mais cet ami, comment le préviendrais-je ?

— Vous, il n'en est pas question, mais moi...

— Vous feriez cela pour moi ?

— Entre femme et mari, murmura-t-elle, malicieuse, il est de ces services que l'on se doit.

Il prit sa main et la baisa.

— Margot, vous me sauvez la mise. Agrippa d'Aubigné.

— Je le connais. Et où ?

— À Nérac.

— Je vais lui envoyer quelqu'un de sûr. Pensons maintenant à la date et au lieu de votre rendez-vous.

Ils parlèrent longtemps et plus près l'un de l'autre qu'ils ne l'avaient jamais été.

*

— Ah ma mie, si je pouvais vous faire entièrement confiance...

Charlotte, dans ses bras, son oreille contre sa bouche et tout son corps tendu comme une antenne à l'écoute de ses paroles, frémissait de curiosité.

— Henri, chuchota-t-elle, votre doute m'insulte. J'étais morte d'inquiétude en vous voyant partir chez le roi ce matin. Est-ce ainsi que vous me payez de mon tourment ?

— Pardonnez-moi, mais tout ce qu'il m'a dit relève du secret d'État, et si cela venait à transpirer, je serais un homme perdu.

— Que je meure à l'instant, s'écria-t-elle d'une voix indignée, si un seul de vos mots pouvait m'être arraché, même sous la torture.

Il baisa amoureusement ses seins.

— Bon. Je me livre à toi. Henri m'a proposé la lieutenance générale du royaume, à charge pour moi de ramener les Réformés des provinces du Midi à la religion catholique, apostolique et romaine.

— Oh, Henri, s'exclama-t-elle dans le ravissement, quelle mission merveilleuse !

— Oui, tu l'as dit. Revenir au Béarn en apôtre de la vraie foi et en ambassadeur du monarque... j'ai cru rêver.

— Mais vous ne craignez pas...

Il étouffa la suite sous un baiser.

— Qu'il se ravise est bien ma seule crainte. Sortir du Louvre, et par la grande porte. Ah Charlotte, pouvais-je espérer mieux ?

*

Catherine écouta le rapport de Charlotte en silence et les lèvres pincées.

— Sachant parfaitement que tu es une rapporteuse, dit-elle enfin, il a dû te mentir. Il est bien trop intelligent pour ne pas avoir mesuré à quel péril va l'exposer son acceptation. Je ne crois pas à son enthousiasme.

— Et cependant, Madame, il m'a paru des plus sincères.

— Parce que tu crois, petite sotte, qu'il suffit de coucher avec lui pour le connaître ? Mais moi qui l'étudie depuis qu'il est enfant, je sais qu'il est pétri de malice, apte comme personne au simulacre et d'une intelligence politique qu'aucune ne surpasse à la cour... La mienne mise à part, ajouta-t-elle entre les dents. Bien sûr qu'il a menti. N'est certain que l'entrain qu'il met nuit et jour à te mignoter, le paillard.

— Ah, Madame, ne m'en parlez pas. J'en suis moulue.

— La lettre qu'il a remise à Saint-Martin à ton intention et que j'ai lue, n'étant pas cachetée – tout comme s'il avait voulu qu'au

passage j'en prenne connaissance –, en est
la preuve écrite.

Elle sourit. « Ah Henriot, tu veux jouer au
plus fin avec moi, polisson ! Eh bien, pour
commencer, je vais te faire surveiller encore
de plus près. »

— Charlotte, va me chercher les sieurs
d'Espalungue et de Saint-Martin. J'ai de
nouvelles instructions à leur donner.

La jeune femme était déjà sur le seuil de
la chambre quand Catherine l'arrêta.

— Et toi, pendant cinq ou six jours, ne
réponds plus à son appel. Trouve un prétexte. La soif qu'il a de toi lui tirera peut-
être un mot sincère, et j'aurai du plaisir à ce
que tu me le rapportes.

— Je n'y manquerai pas, Madame, dit
Charlotte qui ne put s'empêcher de sourire
en lui faisant la révérence.

*

— Sire, la reine vous attend chez elle, dit
Saint-Martin en s'inclinant devant Henri.

— Et elle vous a demandé de m'y
conduire de peur que je me perde en route.

— Il n'y a point de borne à sa sollicitude, Sire, ajouta Espalungue, goguenard.

— Et vous êtes comptable envers elle de chacun de mes pas, oui, je sais, répliqua Henri en achevant de lacer son pourpoint.

— Est-il besoin de dire que ce devoir est pour nous un honneur, acheva Saint-Martin.

Navarre eut un sourire.

— Ah Messieurs, si vous venez un jour à me manquer, ma vie deviendra un désert. Eh bien allons, je m'en voudrais de faire attendre ma bonne mère.

Et toujours devisant, Henri suivi de ses gardiens prit gaiement le chemin des appartements de la reine. Un escalier y conduisait. Arrivé à sa première marche, et sans que rien dans son comportement ne les eût alertés, Henri prit son élan. En trois bonds il avait franchi l'escalier, laissant ses gardiens sur place. Lorsqu'ils parvinrent au palier du haut, il était vide. Interloqués, une sueur d'angoisse aux tempes, ils s'entre-regardèrent en silence.

*

Catherine détestait attendre. Il y avait un long moment qu'Henri aurait dû être là. Ce n'était pas Charlotte qui l'avait retenu puisque celle-ci ne l'avait pas quittée depuis la veille. Enfin on gratta à la porte, et elle alla ouvrir. MM. de Saint-Martin et d'Espalungue, blêmes comme la mort, se tenaient sur le seuil.

— Messieurs, j'ai attendu, proféra Catherine avec une douceur inquiétante. Le roi de Navarre est-il mort ou malade si gravement que vous n'ayez pu l'amener selon mon ordre ?

Et comme d'une voix étranglée ils balbutiaient quelques mots, elle tonna :

— Êtes-vous devenus muets ou devrai-je vous faire parler de force ?

Rassemblant ce qui lui restait de courage, Espalungue prit la parole :

— Dieu merci, le roi se porte bien, Madame. Nous sommes allés le quérir selon votre ordre, mais dans l'intention d'arriver plus vite chez Votre Majesté, il a dû se tromper de chemin, et depuis un moment nous le cherchons partout. Il a dû s'égarer : le Louvre a tant d'escaliers et de couloirs...

— Nous pensions qu'il était peut-être

arrivé avant nous, ajouta si piteusement Saint-Martin que la colère de la reine se mua en un mépris glacé.

Elle n'eut pas le temps de l'exprimer : souriant et câlin, un drageoir à la main, Navarre venait d'apparaître derrière ses gardiens. Catherine l'observa un instant en silence.

— Entrez, Henri, et vous, Messieurs, attendez mes ordres dehors.

Stupéfaits, les deux hommes plongèrent en un salut profond.

— Pardonnez-moi d'être en retard, Madame, dit Henri en offrant le drageoir à la reine avec un air de parfaite innocence, mais en chemin je me suis souvenu de votre goût pour les douceurs et je suis revenu chez moi pour vous rapporter ce drageoir que le roi, votre fils, m'a fait porter ce matin même.

Il le tendit à Catherine qui le prit en regardant pensivement le jeune homme.

— Qu'elles me viennent de vous donne encore plus de prix à ces dragées, Henri, et je vous remercie de votre bonne pensée. Mais si je vous avais mandé chez moi, c'était pour vous dire ma joie quand j'ai appris du roi qu'il avait eu l'heureuse idée de vous faire son lieutenant général du royaume.

— Je crois me souvenir, Madame, que cette idée vous est venue d'abord.

Catherine haussa légèrement les épaules.

— Mais sans que je m'y arrêtasse : je n'étais pas persuadée qu'elle fût bonne.

— Oui, elle est pour le moins risquée, opina Henri gravement. Mais le roi a le goût de l'aventure, et pour moi qui me morfondais, quel honneur et quelle mission ! Pouvais-je l'espérer ? En tout cas, je ne peux oublier que c'est ma mère et vous qui, en nous mariant Margot et moi, avez tenté de rapprocher les deux religions qui déchirent la France.

— Il a fallu les malheureux événements que vous savez pour retarder notre projet, soupira Catherine, mais tout espoir de réconciliation n'est peut-être pas perdu.

— C'est que nous ne pensons vous et moi qu'au bonheur de nos peuples, dit Henri avec l'accent de la conviction la plus profonde.

Un sourire ambigu aux lèvres, Catherine approuva de la tête.

*

La nuit de la Saint-Barthélemy, Maximilien de Béthune, traqué jusque dans son auberge par les reîtres de Guise, n'avait dû son salut qu'à un livre de messe qu'il avait trouvé dans sa chambre. Exhibé à tous les barrages il lui avait servi de sauf-conduit. Il avait pu ainsi gagner son collège de Bourgogne où l'intendant l'avait caché tout le temps qu'il avait fallu. Le fait qu'ils aient tous deux, Henri et lui, pu échapper à la tuerie avait encore renforcé leur amitié.

Un soir de janvier de 1576, ils étaient attablés à l'*Épi couronné*, une taverne du quartier Saint-Jacques où ils se retrouvaient de temps en temps. Le lieu était tranquille, et bien que surveillés à travers les carreaux de la fenêtre par Espalungue et Saint-Martin qui redoublaient de zèle depuis qu'Henri leur avait faussé compagnie dans le labyrinthe du Louvre, les deux jeunes hommes pouvaient s'exprimer sans contrainte. Henri terminait le récit de son entretien avec le roi.

— Faire de moi son envoyé est le meilleur moyen pour lui de me perdre aux yeux des nôtres qui ne me verront plus que sous la figure d'un traître, conclut-il. Aussi me suis-je décidé à lever le camp au plus vite. À Nérac je redeviens ce que je suis : leur chef. À Paris, je ne suis qu'un otage.

— Oui, Sire, c'est bien raisonné. Il vous faut fuir. Mais emmenez-moi avec vous, je vous prie.

Comme Henri hésitait, il se fit plus pressant :

— Sans vous je ne suis plus au sûr dans cette ville. Et puis, quelle chance pour moi si je pouvais à vos côtés travailler librement à refaire la France.

— Bien, tu m'as convaincu. Mais l'expédition est dangereuse, il faut que tu le saches. Nous allons y risquer nos vies.

— Sire, si vous perdez la vôtre, la mienne n'a plus de sens, murmura le jeune homme.

Henri lui prit la main et la serra.

— Alors, attends-moi vendredi... ce vendredi qui vient, un peu avant le jour, au carrefour de la Croix-Haute, à l'ouest de Senlis. J'arriverai par la forêt. D'Aubigné que j'ai pu faire prévenir sera là. Procure-toi un bon cheval et dors bien la nuit précédente. La route sera longue.

Dehors, dans la nuit froide, MM. d'Espalungue et de Saint-Martin, transis, les regardaient avec envie boire leur vin en se chauffant au coin du feu.

*

Après l'avoir aidé à mettre son costume de chasse, Armagnac s'était retiré. Bien qu'il eût toute confiance en son valet de chambre, Henri ne lui avait rien dit de son projet. Il était maintenant à quelques heures de son évasion que la moindre indiscrétion pouvait faire manquer. Maximilien galopait peut-être déjà vers cette forêt d'Halatte où d'Aubigné les attendait. Impossible de revenir en arrière. Et c'est à ce moment que le doute glaça son sang.

La nuit était tombée – une nuit hivernale et sans promesse. Jamais il ne s'était senti plus seul. Dans sa chambre flottait encore le parfum de Charlotte. Ce corps tant désiré où, des années, il avait étanché sa soif de liberté, il l'avait perdu pour toujours. Incertain, déchiré, Henri s'assit lourdement à sa table éclairée d'une seule bougie. Et si le roi

avait été sincère avec lui ? S'il allait le trahir
pour des gens dont rien ne l'assurait qu'ils
voulussent encore de lui pour chef ? Si,
encourant la vengeance du roi et le mépris
de ses anciens amis, il ne s'exposait pas à
perdre sur tous les tableaux ? Comme sa
mère lui manquait ! Elle qui avait épuisé ses
dernières forces à préparer son mariage
avec Margot, elle seule aurait pu le rassurer
et l'engager dans sa vraie voie. En un éclair
il venait de le découvrir : il n'était pas
encore habité par une véritable volonté
politique. Sur ce point, Coligny aurait pu
suppléer la reine Jeanne, mais on l'avait
assassiné, et depuis il vivait sans conseil et
sans maître. Un long moment, il médita, la
tête dans les mains. Enfin, se redressant
comme un homme réanimé, il prit sur la
table une feuille et écrivit d'un trait :

« *2 février 1576. J'aurais bien voulu te
revoir, Margot, mais le temps presse et ne le
peux. Sache du moins que tu auras toujours
ta place auprès de moi quelles que soient les
circonstances. Je n'oublierai jamais ton
amitié. Henri.* »

Il cacheta la lettre à la cire et, s'étant enveloppé dans son manteau, sortit de ses appartements.

— En route pour Senlis, Messieurs, jeta-t-il à ses gardes du corps qui encadraient sa porte. Mais avant de partir déposons ce pli chez ma femme. Même de son époux, elle apprécie les mots galants.

Et gaiement, il les précéda d'un pas vif dans les couloirs du Louvre.

*

À la lueur des torches, au son du cor, les profondeurs de la forêt rougeoyaient, animées d'une vie fantastique. Aux hennissements des chevaux répondaient les abois des chiens, et l'odeur de cuir échauffé se mêlait à l'âcre parfum des fougères. Il y avait une heure que la chasse avait commencé.

— Ah, Messieurs, lança Henri plein d'entrain à ses gardiens, n'avez-vous pas l'impression de revivre ? Respirez-moi cet air des bois qui vous refait un homme... et jouons. J'ai grande envie de m'amuser.

— Sire, vous ne désirez donc pas suivre la chasse ? se permit Saint-Martin, étonné.

— Ce serait vous donner trop de tracas, mes bons amis, répliqua Henri, guilleret. Vous vous époumoneriez à me suivre. Restons plutôt à pied... et entre nous. Je me cache, à vous de me trouver.

D'un bond il disparut dans un taillis épais. Inquiets, ses gardes l'y suivirent.

— Mais où est-il ? murmura Espalungue en écartant les branches basses. Maudite nuit, on n'y voit rien.

— Il doit être tout près, essaya de se rassurer Saint-Martin. Il n'est pas si profond, ce taillis.

— Ah, Messieurs, s'exclama Henri en riant, vous n'êtes pas de bons chasseurs.

Il avait surgi du fourré où il s'était tapi à plat ventre et narguait les deux hommes.

— Cette fois, essayez de faire mieux.

Et de nouveau il disparut.

Rassurés sur ses intentions, ses gardiens entrèrent dans le jeu, et la partie de cache-cache reprit joyeusement.

*

À la fin de la nuit, le dernier hallali ayant depuis longtemps résonné, la forêt avait retrouvé son silence et son ombre.

Assis ou plutôt effondrés au pied d'un chêne, Espalungue et Saint-Martin osaient à peine se regarder.

— Que pouvons-nous nous reprocher, nous avons battu la forêt, dit à voix basse Saint-Martin.

— Peut-être pas toute la forêt, mais celle qui était autour de nous, rectifia honnêtement Espalungue. Il peut encore revenir. Sait-on jamais ?

Ni l'un ni l'autre n'y croyait, hélas. Navarre les avait joués. Il avait bel et bien disparu, et avec son cheval, cette fois.

— Cherchons encore, dit Saint-Martin, peut-être est-il tout près à plat ventre en train de se moquer de nous.

Se relevant péniblement, transis plus encore par la peur que par le froid, ils explorèrent une dernière fois les alentours. Vainement. Revenus dans la clairière, Espalungue prit le bras de Saint-Martin.

— Et si nous faisions comme lui ?

— Vous voulez dire... nous enfuir ?

— Madame Catherine nous fera sans

doute regretter de ne pas l'avoir fait si nous devons lui avouer la vérité.

Saint-Martin réfléchit un moment.

— Et si, grand farceur comme il est, il était revenu tout bonnement au Louvre ?

— Non, cette fois nous ne le retrouverons pas, vous le savez très bien, répondit Espalungue en haussant les épaules.

— Alors il ne nous restera qu'à implorer le pardon de la reine et à espérer l'obtenir. Et si, un jour, Navarre devient roi, nous lui dirons que nous l'avons laissé s'enfuir exprès. Notre fortune sera faite.

— Si nous ne sommes pas pendus depuis longtemps, grommela Espalungue. Enfin, bon, je rentre avec vous. Advienne que pourra !

L'oreille basse et la mine défaite, et sans qu'un mot fût ajouté, les deux nigauds se remirent en selle et reprirent piteusement le chemin de Paris.

*

Au carrefour de la Croix-Haute, un cavalier attendait, enveloppé dans son manteau. L'aube, déjà, s'annonçait dans le ciel d'hiver. S'il n'allait pas venir – d'Aubigné frissonna –, s'il avait été empêché, s'il devait revenir sans lui à Nérac ? Il fit pivoter son cheval et anxieusement interrogea la lisière de la forêt. C'est de là qu'il devait surgir. Il était déjà en retard. Le cœur étreint, il fouilla du regard la profondeur des bois.

Penché sur l'encolure de son cheval lancé au grand galop dans le brouillard mouillé qui faisait de chaque arbre un fantôme, Henri s'interrogeait : s'était-il engagé dans la bonne direction à partir de la clairière ? Il commençait à en douter. Cette forêt ne semblait pas avoir de fin. Il devait cependant en être sorti avant l'aube sous peine de voir son évasion échouer. Et Agrippa, le trouverait-il bien au rendez-vous... Et Maximilien, où était-il ?

Perdu lui-même dans la brume, l'adolescent arrêta sa monture. Il regrettait d'être passé par la forêt pour rejoindre le carrefour de la Croix-Haute en s'engageant imprudemment dans cet océan de fougères où son cheval s'était dangereusement enfoncé. Comme ils avaient été imprudents ! Ce rendez-vous nocturne était une folie. Jamais ils n'auraient dû prendre ce risque. Qu'allait-il devenir maintenant ? Il pensa à son père, le seigneur de Béthune, qui avait mis en lui tant d'espoir et qu'il ne reverrait sans doute plus, et à Henri, comme lui égaré probablement dans les ténèbres, et il connut un instant de détresse. Et puis, au loin, ce bruit sourd, martelé, qui allait grandissant. Le galop d'un cheval... et il le vit passer comme une ombre rapide à une centaine de pas de lui. Piquant des deux, il s'élança à sa poursuite.

D'Aubigné aux aguets les vit se détacher ensemble de la noirceur des bois. Il les salua de la main et faisant pivoter son cheval lui enfonça ses éperons dans le ventre.

Du vert mêlé de rose apparut dans le ciel. Le cœur d'Henri battit de joie : il était libre, enfin. Le jour se levait sur la France.

LE CONQUÉRANT
DE SON ROYAUME

Dire que MM. d'Espalungue et de Saint-Martin furent félicités lorsqu'ils se présentèrent, fort inquiets, au Louvre pour rendre compte de leur mission serait exagéré. Mais à leur heureuse surprise, Catherine, après les avoir entendus, se contenta de les congédier sèchement. À quoi peut-on attribuer cette indulgence ? Il est probable que la reine mère, se refusant à incarcérer son gendre à la Bastille, le seul endroit d'où il n'aurait pu s'évader, s'était faite à l'idée qu'elle ne pouvait pas le retenir toute sa vie au Louvre. Et le voulait-elle seulement ? Depuis la Saint-Barthélemy elle avait longuement réfléchi au sujet de Navarre. Prisonnier, il n'était plus dans son jeu politique subtil, où la froide duplicité le disputait à un besoin étrange d'être aimée, que pièce morte dont elle n'avait plus que faire. Alors qu'échappé de sa geôle, étant rentré dans son pouvoir, il représentait une force avec laquelle elle pouvait jouer, relancer la partie. Il était le seul à la cour dont l'intelligence, la finesse et le sens de l'État étaient dignes des siens. On ne se prive pas facilement d'un adversaire de cette taille – un adversaire qui lui manquait. Elle n'en doutait pas, chacun pouvait apporter à l'autre dans la négociation. Il y avait d'abord les Guise, cette puissante et redoutable famille qui était pour la monarchie un danger permanent. En unissant leurs forces, lui le Bourbon et elle la Valois, ils se donnaient une meilleure chance de la vaincre. Et puis il y avait la question des places fortes en Guyenne, apanage qui avait été dévolu à la reine Marguerite par son frère Henri III lors de son mariage avec Navarre et où la situation entre catholiques et protestants était des plus confuses. Catherine voulait en discuter avec Henri. Si elle lui ramenait gracieusement sa femme, peut-être serait-il plus accommodant sur le contentieux de sa dot – plus d'un million de livres ! – qui jamais ne lui avait été réglé. Et enfin il y avait chez Catherine cette profonde envie de jouer la grande réconciliatrice qui s'élève au-dessus des partis et les contrôle tous.

Et c'est ainsi qu'au plus chaud de l'été de 1578, ayant obtenu de son fils Henri III la permission du voyage, le train des reines en grand arroi s'ébranla vers Nérac. Margot, qui de son côté s'ennuyait au Louvre, n'était pas mécontente de redevenir reine, et elle le serait en retrouvant Henri. Le voyage s'annonçait donc sous les meilleurs auspices. Il va de soi qu'en plus de son cabinet politique, Catherine avait emmené sa guirlande de filles d'honneur, son Escadron volant dont la beauté, la liberté de mœurs et l'impétueuse jeunesse ne contribuaient pas peu à mettre de la gaieté dans le cortège.

Ce fut à La Réole que les deux époux se retrouvèrent et, pour la première fois depuis longtemps, firent chambre commune. De là le cortège royal mit le cap sur Auch où Henri, au cours d'un bal, apprit que le château de La Réole, occupé par les protestants, venait d'être livré par son gouverneur aux catholiques. Il saute aussitôt à cheval suivi de quelques compagnons, galope jusqu'à la petite ville de Fleurance qui appartient à son épouse. Il y entre de force, reprend la ville pour le compte des huguenots et revient triomphalement à

151

Auch où il annonce sa visite à Catherine qui, en bonne joueuse, apprécie la parade. L'incident n'eut pas de suite grave, les deux villes en litige, La Réole et Fleurance, étant, quelques mois plus tard, échangées l'une contre l'autre. Catherine et Henri, au premier coup de leur nouvelle partie, s'étaient retrouvés sur l'échiquier politique au meilleur de leur forme.

*

Les entretiens qui s'engagèrent à Nérac, entre les représentants des Églises protestantes et les dignitaires catholiques, au sujet des places de sûreté s'annoncèrent laborieux, chaque parti se cramponnant à ce qu'il proposait sans entendre rien concéder à l'adversaire. Assistant aux premières discussions, Catherine échappa à leur ennui en se moquant avec la duchesse d'Uzès, sa *commère* qu'elle avait emmenée en voyage dans son carrosse, des airs gourmés et des immenses robes noires des ministres huguenots qui ponctuaient régulièrement leurs discours d'allusions bibliques : « Mieux vaut se retirer sur le toit des greniers plutôt que demeurer avec une femme querelleuse dans la maison commune »... « J'atteste l'Éternel devant Dieu et les anges »... « Les pieds sont beaux de ceux qui portent la paix »...

Henri de son côté, que la forme de ces discussions excédait, ne demandait qu'à les oublier un moment, et c'est avec plaisir qu'il accueillit la proposition de sa belle-mère d'organiser un soir dans le parc un souper où seraient invités, pour se distraire cette fois, tous ceux qui passaient leurs journées dans la chamaillerie. Catherine se chargeait de tout, du repas, des divertissements, du service. Une fête qu'elle voulait offrir à son hôte et à ses amis. Henri pouvait-il refuser de prêter ses jardins à cette aimable trêve ? Il accepta et rendez-vous fut pris.

L'air qu'embaumait le chèvrefeuille était ce soir-là à Nérac d'une douceur de soie. Flanqué de ses six tours, le château dominait la fraîche rivière de la Baïse, et au pied de ses murs s'étendaient les jardins plantés de lauriers, d'orangers, de cyprès, où les tables avaient été dressées. Illuminé par des lustres en verre de Venise suspendus dans les branches et par d'innombrables chandeliers répartis sur les tables couvertes de vaisselle d'argent, le lieu brasillait dans la nuit comme une oasis lumineuse. À peine les invités eurent-ils pris place qu'un orchestre de violons et de luths, caché dans les buissons, commença de jouer, soumettant catholiques et huguenots mêlés à la magie de la musique.

D'Aubigné et Béthune eux-mêmes, peu sensibles pourtant aux charmes des violons, ne purent se retenir d'applaudir, imités bruyamment par tous les conseillers de Catherine, le chancelier de Pibrac, MM. de Saint-Sulpice et Paul de Foix, anciens ambassadeurs à Rome et en Espagne, Jean de Monluc, évêque de Valence, et le sieur de Brantôme, venu là en homme curieux des mœurs de son époque.

Ayant à son côté la reine Marguerite parée comme une idole, Henri tourna la tête vers Dame Catherine qui s'était mise à ce moment derrière son fauteuil.

— Madame, murmura-t-il, je ne vous savais pas reine des enchantements.

— Vous n'avez encore rien vu, Henriot, lui souffla-t-elle à l'oreille, et elle frappa dans ses mains.

À ce signal surgirent ensemble de la nuit,

les bras chargés de plats, les vingt-cinq plus jolies filles de l'Escadron volant, demi-nues pour les plus vêtues et les cheveux épars comme des épousées. Quelques-unes, déshabillées d'une gaze légère – une gaze qui glisse et qu'on rattrape à peine –, portaient des masques de velours qui rehaussaient l'éclat de leur regard. Parmi elles, Mlle d'Atry, l'Italienne, Victoire d'Ayala, l'Espagnole, Mlle de Carrache, Mlle de La Verne, Mlle de Rebours et Charlotte de Sauve elle-même qui était toujours en faveur auprès de Catherine, mais dont Henri, visiblement, avait perdu le goût. Et les cailles rôties, les viandes les plus tendres, le gibier le plus rare envahirent les assiettes tandis que coulait dans les coupes le vin de Graves. Les bras des demoiselles frôlaient les joues des gentilshommes, la pointe de leurs seins sollicitait leurs lèvres, les parfums de leurs corps se mêlaient aux odeurs du festin dans un mouvement sans répit où les rires, les invites et les frôlements gagnaient un peu plus en audace à mesure que la soirée s'avançait. Henri fut le premier à se lever pour faire quelques pas dans les jardins en même temps que Mlle d'Ayala désertait le service. Quand on en fut aux fruits venus de Pau, aux confitures de Gênes et au vin de Tannat, il y avait de très nombreuses places vides autour des tables et toutes les beautés de l'Escadron s'étaient fondues dans les bosquets.

*

Quel avait été le dessein de Catherine en inspirant ces saturnales ? Peut-être de rapprocher dans la faiblesse de la chair les huguenots des catholiques et de rabattre leur caquet à leur austérité orgueilleuse. À moins que le mépris en lequel elle tenait généralement les hommes ait trouvé son image à les voir un soir asservis – tous asservis – en dépit de leurs dieux et de leurs principes, aux charmes de la femme. Toujours est-il que, lorsque reprirent les débats, ceux de la Religion se montrèrent plus souples dans la discussion : en fin de compte vingt-deux places de sûreté leur furent attribuées pour six mois – et ils s'en contentèrent.

Catherine ayant ramené sa fille à son mari et Henri qui avait pu récupérer un lambeau de la fameuse dot se quittèrent dans les meilleurs termes, le roi allant jusqu'à accompagner sa belle-mère à la portière de son carrosse pendant trois lieues. Et ils se séparèrent, selon une vieille chronique, avec de grandes effusions « devant une tourbe de gens qui y étaient ».

Mais ces bons sentiments réciproques ne devaient pas survivre très longtemps à l'épreuve de la guerre civile dont on ne pouvait pas encore prévoir la fin.

*

Il allait faire nuit, et dans le crépuscule humide de l'automne, au bord de la route mouillée, l'auberge ne payait pas de mine. Mais les trois cavaliers qui avaient chevauché tout le jour étaient las, et la lueur d'un feu de bois à travers le carreau les décida. Ils mirent pied à terre, attachèrent leurs montures fourbues et entrèrent dans la salle basse.

Dix ans avaient passé depuis les fêtes de Nérac. Agrippa, Henri et Maximilien, qui portaient sur leurs traits et sur leurs cheveux les marques de leur âge, n'étaient plus maintenant des jeunes hommes. Mais plus que par leurs rides et leurs cheveux qui commençaient à grisonner, un observateur attentif aurait été frappé par le souci qu'avouait leur regard.

Navarre se laissa tomber dans un fauteuil au coin de la cheminée et étendit ses mains vers les braises. Il était évident qu'il n'avait nulle envie de parler. Respectant sa fatigue, d'Aubigné et Béthune prirent place à une table où ils s'entretinrent à voix basse.

— Des nouvelles de Blois ? demanda le futur duc de Sully.

— Non, aucune récente. Il paraît que le roi Henri n'a rien pu obtenir des États généraux.

— Rien ?... s'étonna Maximilien.

— Ni appui ni argent. Il ne peut même pas revenir à Paris occupé par les reîtres catholiques d'Henri de Guise qui aurait, dit-on, déjà traité avec le roi d'Espagne.

— À ce sujet, il n'y a aucun doute, affirma Maximilien. L'accord secret a été bien signé, j'en ai reçu la confirmation : Espagne et France réunies en un royaume unique et sous une seule couronne avec Henri de Guise, ce maudit Balafré, comme

Premier ministre de notre nouveau roi, Philippe II. Et nous, les protestants, que pouvons-nous y faire ? En douze ans, nous n'avons pu constituer qu'une petite armée qui doit se contenter d'intervenir ici et là.

— Nous avons pris Cahors, tout de même.

— Oui, mais les catholiques nous ont vaincus à Issoire, à La Ferté et à La Charité.

— Depuis la mort d'Alençon, le dernier fils de Catherine, Navarre a fait un pas vers le trône puisque le roi n'a pas d'héritier.

Et désignant Henri qui somnolait :

— Nous pouvons espérer le voir régner un jour si Philippe II n'occupe pas sa place avant lui.

Sceptique, Maximilien hocha la tête.

— Jamais les catholiques n'accepteront un roi qui n'est pas de leur religion. Non, ne nous leurrons pas, notre but est encore lointain, et ce n'est pas demain qu'Henri verra les Français de tous bords se réconcilier sous son autorité.

Il se tut un instant, puis :

— Je comprends la fatigue de notre ami. Que de marches et de contremarches, de combats incertains et de négociations rompues. Après douze ans de reconquêtes, nous en sommes encore à espérer un succès qui ait quoi que ce soit de décisif.

— Il faut pourtant tenir, murmura Agrippa en se redressant. Certes, les catholiques sont plus nombreux que nous, mais ils sont divisés. Le Balafré et Henri le troisième se haïssent, bien qu'ils soient tous les deux de la même religion. Et l'Espagne, malgré le soutien du clergé, n'a pas que des amis en France. À tout moment...

Ils sursautèrent : Henri les avait rejoints à leur table.

— Je disais, reprit Agrippa, que le front du clan catholique pouvait à tout moment se disloquer et qu'alors ce serait pour nous l'occasion d'enfoncer un coin dans la brèche.

— Il ne faut pas trop y compter, mes amis : quelles que soient leurs querelles internes, en cas de crise, les catholiques se remettront toujours d'accord à nos dépens. Non, ce n'est pas d'abord à cela que je pense, mais à Henri, mon beau cousin, qui aurait fait savoir publiquement qu'il me considérait comme son héritier légitime.

Henri regarda le plafond en souriant :

— Vous avouerai-je que je m'en suis senti touché ?

— Il y a toujours eu entre vous une sorte de sympathie, nous le savons, reconnut Maximilien, mais pouvons-nous nous y fier ? Vous connaissez sa perfidie.

— Je la connais, mais elle ne m'empêche pas de me demander quelquefois... si un rapprochement entre nous qui sommes si isolés, si exposés, et dans l'impossibilité de prendre l'avantage l'un sur l'autre... si ce rapprochement ne serait pas bon pour la France, et si bon nombre de Français, fatigués de s'entre-tuer, n'y aspirent pas en secret. Si je l'ai pensé, mes amis, il a pu le penser aussi.

— Jamais les Guise ne permettront au roi qui est leur prisonnier de faire un pas vers vous, grommela Agrippa.

Henri revint s'asseoir dans son fauteuil.

— Oui, reconnut-il pensivement, c'est vrai : il y a les Guise entre nous.

*

Le 22 décembre de cette même année
1588, à Blois, le roi Henri, enfermé dans son
cabinet, jouait au bilboquet au coin de sa
fenêtre. Dehors, sous un ciel sombre et par
un très grand froid, un fort concours de
peuple dont la rumeur lui parvenait à peine
emplissait toutes les rues qui menaient au
château.

« Les imbéciles », pensa le roi, et il
entrouvrit la croisée.

« Vive le Balafré... Vive le prince Henri...
Vive le Balafré, roi de Paris... »

Henri referma la fenêtre en haussant les
épaules et se tourna vers un grand homme
brun et noir de poil, debout au fond du
cabinet : Longnac, le commandant des Quarante-cinq, sa garde personnelle.

— Vous avez entendu, Longnac ? « Vive
le Balafré, roi de Paris. » Il ne me reste
donc, à moi, le roi de France, qu'à disparaître en lui cédant le trône. Et c'est cela
qu'ils veulent en appelant Guise au pouvoir,
mon cher cousin de Guise.

— Hélas, murmura Longnac d'un ton
navré, c'est pitié que d'entendre ces gens,
ils ont perdu la tête.

— Et le trône où je suis assis, continua le

roi en jetant dans un coin son bilboquet, Guise a toutes les raisons de l'espérer : ses troupes tiennent Paris qui est acquis aux catholiques... aux catholiques dont il est le chef bien-aimé. Et qui tient Paris tient la France.

Longnac hocha la tête, la mine consternée, sans trouver pour son souverain un mot de réconfort.

— Il nous faut donc prévoir le coup que mon cousin s'apprête à me porter.

— Auriez-vous un plan, Monseigneur ? hasarda prudemment Longnac.

Henri vint vers lui d'un pas résolu et dit, le regardant droit dans les yeux :

— Si vous ne le dépêchez pas, c'est moi qu'il fera disparaître.

Un nuage passa sur le front du capitaine.

— Ai-je bien compris... Monseigneur... le dépêcher ?

Henri posa sa main sur l'épaule de Longnac qu'il sentit tressaillir imperceptiblement sous ses doigts.

— Oui, Longnac, vous m'avez bien compris : je vous demande de le tuer avant qu'il ne me tue. Et soyez sûr qu'il s'apprête à le faire. Hier, après vêpres, il m'a prié de recevoir la démission de ses charges, et j'ai dû l'accepter. Il va donc s'en aller de Blois, se remettre à la tête de sa bande de mercenaires et guetter le meilleur moment pour s'emparer de ma personne. Et une fois que je serai entre ses mains il me tonsurera comme il s'en est vanté, et m'enfermera dans un cloître. À moins qu'il n'abrège lui-même, au poignard, mon agonie... solution plus sûre et plus rapide.

Longnac mit un genou au sol, prit la main de son souverain et la baisa.

— Il ne le fera pas, Monseigneur.

— Il le fera si vous, mes Quarante-cinq, mon ultime soutien, lui donnez le temps de le faire. Puis-je compter sur vous ? Dans quelques jours Guise sera hors de portée et votre roi en grand péril.

— Que Votre Majesté m'indique seulement le lieu et le moment, dit simplement Longnac, et tout ce qui doit être fait le sera.

Henri prit son bras qu'il serra avec émotion.

— Merci, Longnac, je n'ai jamais douté de votre fidélité.

— Mes hommes et moi appartenons à Votre Majesté.

— Alors, demain matin ici très tôt, précisa Henri. Je lui ai donné rendez-vous à cinq heures. Il grattera à la porte de l'antichambre, et c'est vous qui lui ouvrirez. Il entrera. Vous refermerez la porte sur lui et vos hommes feront le reste.

— Et ils le feront promptement.

— Je l'espère, bien que certains d'entre eux aient reçu, je le sais, des propositions du Balafré pour rallier sa meute. Il peut les payer mieux que moi, ajouta Henri en soupirant.

— Sire, mes hommes sont à vous, j'en réponds, et ils sont prêts jusqu'au dernier à mourir à votre service.

Le roi eut un sourire triste.

— Il se peut en effet que quelques-uns y laissent leur vie : Henri est un géant, et d'une force peu commune. Même à un contre quatre...

— Ils seront huit dans l'antichambre, l'interrompit Longnac qui déjà avait échafaudé son plan. Huit, plus moi, s'il le faut, en renfort. Et je mettrai auprès de vous, ici, dans votre cabinet, mon ami La Bastide, une lame de première force. Le reste de mes hommes sera réparti, dissimulé, dans les couloirs et dans les escaliers afin que le gibier, s'il était alerté, ne puisse revenir sur ses pas.

— Bien, approuva le roi. Cela devrait aller. Il passe toutes ses nuits chez Mme de Sauve, m'a-t-on dit.

— ... et n'en sort qu'au matin, sur les genoux, murmura Longnac avec un froid sourire. Dès qu'il sera sorti de sa chambre, il tombera sous notre surveillance.

Un peu de rose était maintenant revenu aux pommettes du roi. L'affaire paraissait bien engagée. Il respirait plus librement.

— Ah, j'oubliais... dit-il. Tout doit se faire sans bruit. Ma mère a ses appartements au-dessous de ce cabinet, et elle a l'oreille très fine. Elle n'aime pas le sang, quoi qu'on dise, et si elle venait à soupçonner ce qui se passe...

— Sire, dit Longnac en bombant le torse, mes Gascons sont des chats quand ils marchent et des tigres quand ils bondissent... Même éveillée, même aux aguets, Madame Catherine n'entendra pas le moindre bruit. Mais Votre Majesté me permet-Elle une question ?

— Elle vous le permet, mon ami.

— Le troisième Henri, Navarre, l'époux de Dame Marguerite ?

— Eh bien ?

— Depuis la Saint-Barthélemy, il hait le Balafré au moins autant que vous, remarqua Longnac en se touchant du doigt le menton. Le tuer, n'est-ce pas le plus grand plaisir que vous pouvez lui faire ?

Le roi revint s'asseoir à sa table.

— Si fait, murmura-t-il, si fait. Il m'en sera certainement reconnaissant. Mais je crois que j'ai moins à redouter de lui que du Guise... Enfin, pour le moment.

Il y eut un silence, et les deux hommes perçurent nettement la rumeur de la foule qui, au-dehors, n'avait pas cessé de gronder.

— Il est vrai, constata Longnac, que depuis qu'il s'est enfui du Louvre, il n'a jamais constitué pour Votre Majesté qu'une menace assez lointaine – plus lointaine en tout cas que celle de ces démons de Guise.

— Outre cela, pourquoi ne le dirais-je pas, continua le roi négligemment, j'ai toujours eu pour mon cousin Navarre une sorte d'affection, et, malgré la politique qui nous a séparés, je crois qu'il me la rend.

— Je vous comprends, Sire, approuva

Longnac avec sincérité. C'est un homme qu'on ne peut s'empêcher d'aimer tout en le combattant.

Longnac salua et posa sa main sur la porte.

— Encore un mot, le retint Henri : que vos hommes soient en poste à quatre heures.

— Ils y seront, j'y veillerai.

— Et ne leur révélez leur mission qu'au tout dernier moment. La prudence l'exige.

— Au tout dernier moment. Il va de soi.

Après s'être incliné profondément, Longnac sortit. Henri se levant de sa table revint vers la fenêtre, qu'il entrouvrit, et cette fois ce fut avec le sourire qu'il écouta gronder la foule.

— Oui, le roi de Paris, réclamez-le... Il n'a plus pour longtemps à vous faire rêver, pauvres sots !

*

La chambre était plongée dans la pénombre, et seul un candélabre éclairait le grand lit aux draps de soie sur lequel deux corps nus enlacés se roulaient l'un sur l'autre avec une lenteur lascive. Quand ils se séparèrent enfin, l'homme retomba sur le dos, les yeux clos. Appuyée sur un coude, sa maîtresse le regarda, un énigmatique sourire aux lèvres.

— Tu me tueras, murmura-t-il.

Elle eut un petit rire.

— Mais moi ce sera par amour. N'est-il pas mort plus désirable ?

— Attends au moins que je sois roi de France.

— La France, elle en a déjà un. Elle n'a pas besoin de toi.

Il ouvrit les yeux, soupira et d'une main la saisit tendrement à la nuque.

— Mets-toi à la fenêtre et écoute les gens. Aujourd'hui ils m'ont réclamé à grands cris. « Vive le Balafré, roi de Paris », depuis le matin jusqu'au soir. Ils disent roi de Paris et pensent roi de France, ajouta-t-il d'une voix orgueilleuse.

Charlotte prit un air boudeur, son air de petit chat qui a vu sa souris lui échapper, comme disait son amant.

— Des trois Henri, il est le seul, le roi de France, à m'avoir méconnue.

— C'est que vous n'étiez pas du même

sexe, dit Henri souriant, et cela jouait contre toi. Mais tu as eu Navarre.

— Oui, mon premier Henri, reconnut-elle, mais il y a longtemps, quand il était encore au Louvre. Je l'aimais bien, Navarre, il était drôle et si gentil... et il aimait beaucoup les femmes.

Elle se rapprocha de son amant et posa sa jolie tête bouclée sur sa poitrine.

— Es-tu encore à Blois pour longtemps ?

— Je ne crois pas. Les députés des États généraux qu'Henri a convoqués ici afin d'en obtenir un peu d'argent lui ont refusé tout subside et s'apprêtent à rentrer chez eux. Le Trésor public est à sec, et lui-même, le roi, en est à mendier quelques écus pour payer la solde de ses Quarante-cinq. Alors que ces mêmes députés sont prêts à me donner à moi tout ce qu'ils lui refusent à lui.

— Et pourquoi ça ?

— Parce que j'ai l'Espagne dans mon jeu et tout son or des Amériques. Ils ont tout intérêt à être en affaires avec moi, ces braves gens.

Il s'assit sur le lit et mit les pieds par terre.

— Ah, ma petite goule, je tiens à peine

sur mes jambes. Donne-moi mon drageoir.
Il est de ton côté, sur le tapis.

Elle obéit. Il plongea ses doigts dans la
boîte. Un reste de feu se mourait dans la
cheminée, jetant des lueurs fauves sur son
corps musculeux encore luisant de sueur.

— Que manges-tu ? interrogea Charlotte.

— Des prunes de Brignoles. Elles requin-
quent leur homme, paraît-il, et j'en ai grand
besoin. J'étais moins fatigué le soir des Bar-
ricades.

— Étais-tu vainqueur ce soir-là ? demanda-t-elle malicieusement.

— Oui, et je n'avais pas à m'y remettre
le lendemain. Mais l'amour, lui, est toujours
à refaire.

— Et chaque fois c'est le bonheur. Qui va
s'en plaindre ?

— Pas ceux qui t'ont connue, mon cœur,
oui, je le reconnais.

Il se saisit du candélabre :

— Allons, mets-toi debout, que je t'ad-
mire.

Elle fit ce qu'il lui demandait. S'étirant
voluptueusement, une main sous la nuque,
l'autre cambrant ses reins, elle offrit son
corps ravissant au regard de son amoureux.

— La femme comme l'épée n'est vraiment belle que toute nue. Tu es presque aussi belle que mon épée.

Il se tut un instant, les yeux fixés sur le triangle blond de son sexe.

— Avais-tu du plaisir avec Navarre ?

— Me ferais-tu l'honneur d'être jaloux ? demanda-t-elle avec coquetterie.

— Comment te faisait-il l'amour ?

— Il le faisait beaucoup, mais pas bien.

— Souvent ?

— Oui, souvent et beaucoup, mais il se pressait trop, et je n'avais pas de plaisir. Et il sentait mauvais. Ce n'était pas un bon amant.

— L'as-tu aimé ?

— J'avais de l'estime pour lui, pour sa bonté, sa générosité. Une femme pouvait l'aimer comme elle aime son chien, bien que lui ne fût pas fidèle. Je pense qu'il aurait fait un très bon roi, ajouta-t-elle avec un sérieux qui amena un sourire sur les lèvres de Guise.

— Un roi meilleur que moi ?

— Peut-être, je ne sais pas, mais toi tu sais m'aimer, c'est tout ce qui m'importe.

Pendant leur conversation, Guise s'était

habillé, avait ceint son épée, pris son manteau.

— Tu pars déjà ?

— J'ai rendez-vous chez le roi à cinq heures.

— Il commence tôt sa journée, le roi.

— Peut-être parce qu'il a eu une nuit plus reposante que la mienne.

— Reviendras-tu ce soir ?

— Non, ce soir je coucherai seul. La France a besoin de mes forces.

Elle soupira, languissante.

— Henri, j'aurais aimé dormir avec toi.

Il l'embrassa légèrement sur les lèvres.

— M'endormir près de toi sans te toucher ? Non, ne m'en demande pas trop.

Il était déjà sur le seuil quand il aperçut un billet qu'on avait glissé sous la porte. Il se baissa et le lut. « *Sauvez-vous ou vous êtes mort.* » Il haussa les épaules et se murmura à lui-même : « Il n'oserait. »

Charlotte s'était recouchée.

— Prends soin de toi, Henri.

— Que veux-tu qu'il m'arrive ? Je ne crains rien.

— Fais bien attention tout de même.

Hochant la tête, du bout des doigts il lui envoya un ultime baiser.

— Adieu, ma vermeillette fente.

— Après-demain tu feras d'elle à ton plaisir, dit-elle en se renfonçant sous les draps.

Le corridor était faiblement éclairé par un flambeau fiché dans la muraille. Impressionné malgré lui par les mots qu'il venait de lire, Henri sonda l'ombre des yeux et prêta un instant l'oreille. Obscurité, silence et froid. « Non, je n'ai rien à craindre, se répéta-t-il à lui-même. Est-ce l'amour qui me ramène à cette peur enfantine du noir ? Ah, Charlotte, il me faut me méfier du plaisir que tu me dispenses ! » Et la main sur la garde de son épée, il descendit l'escalier qui menait dans la galerie des Cerfs.

À peine y fut-il engagé que les silhouettes de trois spadassins apparaissaient sur le palier du haut.

*

Assise dans son lit, la reine mère était à l'écoute. Il en était ainsi toutes les nuits. Elle avait le sommeil mauvais et l'exceptionnelle

174

finesse de son ouïe lui permettait de percevoir le moindre bruit dans le château. « Il me parle quand il est endormi, avait-elle avoué un jour à son fils, et ce qu'il me révèle dans le silence est beaucoup plus intéressant que tout ce que je peux entendre, dit à voix haute, durant le jour. »

On gratta à la porte, et Charlotte, qui avait mis sur sa chemise un léger manteau de satin, se glissa dans la chambre.

Catherine leva le doigt vers le plafond.

— Il me semble que j'ai entendu quelque chose.

— Henri, sans doute, qui vient de sortir de chez moi.

— Quel Henri ?

— Le Balafré, Henri de Guise.

Catherine fronça ses gros sourcils et grommela :

— Avec toi on ne sait jamais. Que t'a-t-il dit ?

— Qu'il allait au Conseil du roi.

— Si tôt matin, ce n'est pas l'habitude. Il doit y avoir là-dessous quelque affaire qui s'échafaude. Et pour la politique ?

— Il se voit déjà roi de France, dit Charlotte avec un petit rire.

— Hélas, soupira Catherine, il n'y a pas raison de rire. Il a pour lui tout le clan catholique et les prêtres du bas et haut clergé, et les moines auxquels il a promis le maintien de leurs privilèges.

Elle se tut, réfléchissant, la mine grave.

— Et l'Espagne... où en est-il avec l'Espagne ?

— Il prétend qu'il l'a dans son jeu... qu'il peut compter sur tout son or.

— Il peut y compter en effet, et c'est avec cet or qu'il s'assurera le soutien de l'Église de France. Elle préférera le Guise à mon fils, à son roi légitime parce que le Balafré est prêt à vendre son pays à la très riche Espagne où les prêtres sont au paradis alors qu'Henri, mon fils, mon pauvre fils, n'a même plus de quoi payer sa garde personnelle.

Elle serra un poing vengeur et le brandit devant les yeux de Charlotte qui s'était assise familièrement au pied de son lit.

— Ah, ces Guise... une nichée de traîtres !

Une lueur livide passa dans ses yeux ternes et Charlotte, impressionnée, balbutia :

— J'ai dit au Balafré que Navarre, à tout prendre, ferait un meilleur roi que lui.

— Bien meilleur, à tout prendre. Le Guise ne sera jamais qu'un chef de bande. Il n'a aucun sens de l'État. Ce serait un malheur pour la France, un grand malheur, s'il s'asseyait un jour sur le trône. Et qu'est-ce qu'il t'a dit ?

— À quel propos, Madame ?

Catherine eut un mouvement d'impatience.

— Mais quand tu lui as dit que Navarre ferait un meilleur roi que lui.

— Il s'est contenté de sourire en haussant les épaules. Il paraît que je n'entends rien en politique... que je ne suis bonne qu'au lit.

— Oui, sur ce point il a raison : au lit tu es très bonne.

Il y eut un silence, et Charlotte demanda timidement :

— Madame, puis-je dormir dans la chambre à côté ?

— N'es-tu pas bien chez toi ?

— Si, mais chez vous je serai plus tranquille.

— Eh bien, voilà qui en étonnerait plus

d'un ! Plus tranquille chez moi qui effraie tant de gens !...

— C'est que les gens ne vous connaissent pas, Madame, dit gentiment Charlotte en lui faisant la révérence.

*

Passant devant une fenêtre, Henri regarda au-dehors : dans le ciel noir voletaient quelques flocons de neige. Une lugubre nuit d'hiver, laide et glacée. Il était un peu en avance. S'enveloppant dans son manteau, il se laissa tomber sur une banquette de velours et appuya sa nuque à la pierre. Éclairée chichement de loin en loin par quelques torches qui fumaient, la galerie des Cerfs était silencieuse et déserte. Irrésistiblement il sentit le sommeil le gagner et s'y abandonna.

Quand cinq heures sonnèrent à la chapelle du château, il dormait.

Deux ombres qui s'étaient glissées sous l'escalier l'observèrent, inquiètes. Le capitaine, qui avait tout prévu, ne leur avait donné aucune instruction pour le cas qui se présentait. Mais pouvait-il imaginer que leur proie s'endormirait au moment d'entrer dans la nasse ? Perplexes, les deux hommes s'interrogeaient du regard quand retentit une sonnerie cristalline, et Henri sursauta. Fouillant dans son pourpoint, il en sortit un léger mécanisme d'horlogerie, un des premiers réveille-matin en circulation. Cinq heures. Il se leva et se dirigea vers la porte qui faisait communiquer la galerie des Cerfs avec l'antichambre royale.

À l'instant de toquer au battant, et comme prévenu par une intuition, il fit tout à coup volte-face et parcourut la galerie d'un œil méfiant : elle était vide. Rassuré, il se retourna vers la porte et frappa.

L'oreille collée au panneau, Longnac fit signe à ses hommes qui, de chaque côté de la porte, s'apprêtaient à bondir. Au bruit léger des coups sur le bois, les muscles se tendirent, les regards devinrent fixes. Longnac leva la main, attendit encore un instant et ouvrit.

Henri entra. D'une violente poussée dans le dos, le capitaine le projeta au milieu de la pièce et referma la porte. Et ce fut la ruée des spadassins.

— Mes amis... mes amis... mes amis...

s'écria le colosse assailli de tous les côtés – et comme un sanglier d'une meute de chiens, il traîna ses huit adversaires d'un mur à l'autre, effaré, débordé, titubant, mais toujours debout bien que déjà percé de coups.

Le sang commença à jaillir de ses blessures, éclaboussant ses assassins. Embarrassé dans son manteau, il essaie vainement de dégainer. Dans un suprême effort, le géant expédie au sol deux spadassins, mais Longnac à son tour s'avance et du pommeau de son épée le pousse violemment en arrière. Henri vacille comme un chêne qu'on abat et lentement, faisant toujours face à la meute, glisse contre le mur.

Le capitaine met un genou en terre et d'un coup de poignard dans le cœur l'achève. Puis, se relevant, il va ouvrir la porte du cabinet royal.

Le roi entre, suivi de La Bastide. Les hommes s'étaient écartés. Il contemple le cadavre d'Henri avec un froid sourire.

— Merci, Messieurs. Vous avez fait votre devoir et je m'en souviendrai. Maintenant, qu'on visite ce qu'il a sur lui !

Longnac à genoux obéit. D'une poche du pourpoint il retire un billet qu'il tend au roi et qu'après avoir parcouru celui-ci lit à haute voix :

« *Pour entretenir la guerre en France, il me faut sept cent mille livres par mois.* » Il tourna le billet.

— Et c'est adressé à Philippe, roi d'Espagne. Nous en avons ainsi la preuve : Henri de Guise était un traître.

Il ajouta, s'adressant à Longnac :

— Vous livrerez son corps au sieur de Richelieu qui le fera brûler et jeter ses cendres dans la Loire. Et maintenant venez, capitaine, j'ai un mot à vous dire.

Longnac referma la porte du cabinet. Ils étaient seuls. Le roi alla s'asseoir à sa table, la mine si soucieuse qu'il ne sut un instant que penser. Avait-il un reproche à lui faire ? Et comme le silence se prolongeait, il osa l'interrompre :

— Alors, Sire, êtes-vous rassuré ?

— Pour le moment, oui, je le suis. Henri est mort, et ses reîtres, un moment, ne sauront pas auprès de qui prendre leurs ordres. Mais ce n'est qu'une trêve. Bientôt je serai de nouveau sous la menace.

— Vous oubliez vos Quarante-cinq.

— Ils m'ont sauvé d'un assassin, mais le

181

meurtre de celui-ci va en susciter d'innombrables.

— Nous serons toujours là, Sire. Ils ne
vous approcheront pas. Vos Quarante-cinq
seront votre rempart et votre bouclier.

— Tout rempart a sa brèche et tout bouclier son défaut. Ah, Longnac, si vous croyez
en Dieu, priez pour moi.

— Sire, je le ferai puisque vous me le
demandez, mais je crois que mes hommes
suffiront à votre salut.

Le roi enfouit sa tête dans ses mains. Il
tremblait, et Longnac eut un léger sourire
de dédain au spectacle de cet homme
apeuré.

— Plus seul que moi, capitaine, vous ne
pouvez l'imaginer.

Sans répondre, Longnac salua et sortit.

*

Un petit escalier faisait communiquer le
cabinet du roi avec la chambre de sa mère.
Le jour ne s'était pas encore levé quand
Henri apparut en haut des marches. Il était
d'une grande pâleur, mais semblait avoir
recouvré son calme.

— Comment vous portez-vous, ma mère ?

— Oh mon fils, doucement, bien doucement, geignit Catherine en le regardant de
son lit.

— Et moi très bien. Henri n'est plus.

— Le Guise ? murmura-t-elle, épouvantée.

— Oui, le roi de Paris. Je suis donc roi
de France.

— Tu l'as tué ?

— Mes Quarante-cinq s'en sont chargés.
Un jour avant qu'il m'assassine.

— Il me semblait bien en effet avoir
entendu quelque chose...

— Je m'en doutais. Rien de ce qui se
passe la nuit au château ne vous échappe.

Il y eut un silence. La vieille dame
réfléchissait, lèvres serrées, regard indé-
chiffrable.

— Prions Dieu que bien en advienne, dit-
elle enfin.

Le roi s'assit dans un fauteuil et renversa
sa tête en arrière.

— Le premier bien est que je suis encore
en vie. Ça n'a tenu qu'à quelques heures...
Un traître qui avait vendu la France à
l'Espagne et rêvait d'installer son roi sur

mon trône. Et vous, que seriez-vous devenue, ma mère ? Y pensez-vous ?

Catherine éluda la question.

— Les catholiques vont te haïr d'avoir expédié leur chef, et quant aux protestants, ils n'ont jamais pu te souffrir.

— Il me reste mes Quarante-cinq.

— Oui, quelques spadassins à gages. Des gages que tu ne peux même plus leur payer. Ils déserteront ton service à la première occasion.

— Je sais, dit Henri à voix basse.

À nouveau cette affreuse fatigue qui lui glaçait le sang. Il eût voulu être encore un enfant – un enfant préféré – qui se cache dans le giron de sa mère, et il se prit en pitié. Cette vie n'était pas faite pour lui. Avait-il demandé à naître ?

— Il faut que tu renoues avec Navarre, murmura Catherine, sortant enfin de son silence.

Il sursauta :

— Avec le chef des protestants ! Le pape m'excommuniera. Hors de l'Église je serai encore plus seul.

— Il l'est tout comme toi. Si vous

concluez alliance, il y aura beaucoup de gens en France qui vous en sauront gré.

— Quels gens ?

— Les Français des deux camps qui sont las de s'entre-tuer depuis de si longues années. Navarre et toi, si vous vous entendez, vous pouvez redonner une figure d'avenir au visage détruit de la France.

Le roi poussa un long soupir et haussa les épaules.

— Allons, ma mère, vous rêvez.

— Henri a le sens de l'État, reprit-elle. Je le connais assez pour le savoir. Il est intelligent, rusé et ne peut ignorer que sa survie passe par votre entente. Outre cela, tu n'as rien à craindre de lui. Il t'aime bien et il a de l'honneur.

Henri réfléchit un moment.

— Pourquoi pas ? Je reverrai Navarre avec plaisir. Auriez-vous quelqu'un qui peut servir de messager ?

— Bellegarde. Je crois qu'il serait prêt à s'entremettre : il vous estime tous les deux, et j'ai son amitié. Si je le lui demande, je suis persuadée qu'il acceptera de porter de ta part un message à Navarre. Encore lui faut-il le temps de le trouver... Mais il est né malin, il y réussira, j'en suis sûre.

— Il ne me reste donc qu'à l'écrire, ce message.

— Oui. Fais-le bref et affectueux. Tends-lui la perche, il se peut qu'il l'attende. Pour moi, je vais voir Bellegarde. Il n'y a pas une heure à perdre.

Elle ferma les yeux et se renversa sur ses oreillers.

— Toutes ces morts me tuent, reprit-elle. J'étais née pour convaincre. Le meurtre n'est pas dans ma nature. Mais j'ai dû accepter le crime parce que le pouvoir en est inséparable.

Il la regarda sans répondre, avec une ombre de sourire.

— Allons, va... Va écrire à Navarre et ne cachette pas la lettre : je veux la lire avant qu'elle ne parte.

*

Assis devant un feu qui se mourait, Agrippa en tenue de campagne tendait ses deux mains à la flamme. Des soldats allaient et venaient dans le brouillard, des chevaux qu'on sellait hennissaient, et il y eut des mots, des injures échangés. On avait peu dormi, et l'humeur de chacun s'en ressentait. Un peu plus loin une porte de ferme s'entrouvrit, projetant fugitivement un pan de lumière sur le sol. Henri, enveloppé dans son manteau, vint rejoindre Agrippa.

— Savez-vous où nous sommes ? demanda-t-il en étouffant un bâillement.

— À quelques lieues de Poitiers, à Champ-Saint-Père, répondit Agrippa. Un de nos hommes que j'avais envoyé en reconnaissance a repéré tout près une douzaine d'arquebusiers et quatre ou cinq cavaliers du parti catholique. Ils viennent de se réveiller. Nous pouvons leur tomber dessus et en avoir facilement raison.

Henri, pensif, serra son manteau contre lui.

— Oui, sans doute.

— Alors nous y allons, dit Agrippa en se levant. Nos hommes sont transis. Ça les réchauffera.

Et comme Henri ne bougeait pas :

— Qu'attendez-vous, Henri ? Vous ne voulez pas en découdre ?

— Eh bien, franchement, non. Massacrer

à coup sûr ces pauvres gens n'avancera pas nos affaires. Un jour, pensez-y, d'Aubigné, nous devrons vivre ensemble, ils sont nos frères, des Français comme nous, que seule la religion sépare. Un jour, je ne sais quand, mais je suis certain qu'il viendra, il n'y aura plus entre nous de séparation. Nous devons le savoir dès aujourd'hui.

Agrippa se laissa retomber devant le feu.

— Bien. Ce sera comme vous voudrez. Mais je gage qu'à notre place, ils nous auraient déjà coupé la gorge.

— Il se peut bien, mais je n'apprendrai pas à pratiquer l'esprit de tolérance en m'imaginant à leur place. Certes, il est des circonstances où nous devons affronter l'adversaire, et nous y dérober serait inadmissible, mais notre cause n'a pas besoin du guet-apens et de la tuerie en détail. Nous ne pouvons qu'y compromettre notre honneur sans rien en retirer de plus.

— Alors, que faisons-nous ici avec nos hommes si nous ne voulons pas nous battre ? maugréa Agrippa.

— Où voulez-vous que nous soyons, dans nos lits, bien au chaud, à faire l'amour à nos femmes ? Nous devons occuper le terrain, faire sentir notre présence aux catholiques et établir la liaison entre nos compagnies. L'assassinat n'est pas le but de notre guerre.

— J'aimerais bien savoir comment vous projetez de la gagner, ajouta d'Aubigné entre les dents, et il se rassit d'un air sombre devant les braises qu'il dispersa d'un coup de pied rageur.

Un murmure de voix à cet instant parvint à leurs oreilles, et apparut un cavalier tenant son cheval par la bride. Henri leva la tête et n'en crut pas ses yeux : Bellegarde, son ami Bellegarde, qui l'ayant à son tour reconnu, lui ouvrait grand les bras. Les deux hommes s'étreignirent.

— Henri, quel bonheur de vous voir ! Vous retrouver dans cette campagne inconnue, hantée de gens de toutes sortes, n'a pas été facile, et j'ai bien failli plusieurs fois me faire assassiner. Mais enfin je vous tiens.

— D'où nous tombez-vous, cher ami ?

— Il y a encore trois jours, j'étais à Blois.

— Vous allez donc pouvoir me conter ce qui s'y passe. Je ne sais plus rien de la cour.

— Eh bien, apprêtez-vous à en apprendre... J'ai pour vous un message du roi.

Et dénouant le haut de son pourpoint, il en sortit un pli cacheté de cire rouge qu'il tendit à Henri.

Dès qu'il en eut pris connaissance, celui-ci leva vers Bellegarde un retard stupéfait.

— Le Balafré est mort ?

— Expédié par les Quarante-cinq de Longnac sur l'ordre de Sa Majesté. Et dès le lendemain, Elle a fait garrotter en prison son frère Charles, cardinal de Lorraine. Du clan des Guise, il ne reste donc que Mayenne qui tient Paris avec l'appui des mercenaires espagnols. Des nouvelles qui, je l'espère, ne vous chagrineront pas trop, ajouta Bellegarde d'un ton narquois. En tout cas, je peux vous l'assurer, on respire mieux à la cour.

À ce moment, le soleil caché jusque-là dans la brume éclaira d'un rayon doré le campement.

— Savez-vous que le roi me propose une rencontre ? dit Henri.

— Oui, sur le conseil de sa mère qui pense que de votre rapprochement ne peut advenir que du bien.

— Et vous, mon bon ami, qu'en pensez-vous ?

— J'aime le roi autant que je vous aime, Henri, et il me semble que si vous pouvez vous entendre, la France ne s'en portera que mieux.

Navarre en souriant lui frappa sur l'épaule.

— Voilà qui est parlé. Pour tout vous dire, je n'attendais qu'un signe de mon cousin. Maintenant que les Guise ne sont plus là pour se mettre en travers de nous, le moment est venu de nous revoir et d'accorder nos volontés. Nous sommes gens à nous parler. L'avenir de la monarchie passe par notre alliance.

— La reine mère me l'a dit et répété avant que je prenne la route. J'ai hâte de lui rapporter votre accord.

— Elle a la tête politique et elle voit juste, Bellegarde, elle voit juste. Maintenant, allons déjeuner. Dans la ferme, là-bas, notre hôte a préparé un chapon gras, un lièvre piqué et quelques bouteilles d'un excellent bordeaux. Que nos ventres soient de la fête. Il n'est pas de bonheur quand ils sont vides.

*

En ce froid début de janvier de 1589, dans sa chambre de Blois, Dame Catherine s'éveilla en sursaut.

— Il n'est pas revenu ?

— Qui, Madame ? demanda Charlotte qui sommeillait à son chevet.

— Tu sais bien... Bellegarde.

— Pas encore, Madame. Il vient à peine de partir. La route est longue et semée de périls.

Catherine eut une expression d'égarement.

— Ah bon. Je me perds dans le temps. Ai-je rêvé que le Balafré n'était plus ?

— Non, Madame, il est mort... et bien mort, assassiné il y a de cela deux semaines.

— Il était ton amant.

— Oui, Madame, à votre demande.

— Et tu as du chagrin ?

— Il me faisait très bien l'amour. Mon lit est vide maintenant.

— Il ne le sera pas longtemps, je te connais.

Elle porta ses mains à sa poitrine :

— Je me sens mal.

— Ne craignez rien, Madame, vous vivrez encore longtemps.

— Et comment peux-tu le savoir ?

— Souvenez-vous de la prédiction de votre astrologue Ruggieri : « Vous ne mourrez qu'auprès de Saint-Germain. » Or nous sommes à Blois. Reposez-vous.

— Réveille-moi dès le retour de Belle-garde.

— Je n'y manquerai pas, Madame, dit Charlotte en remontant sa couverture.

*

Le soleil n'allait pas tarder à paraître et sa première rougeur perçait sur l'horizon. Navarre et ses amis avaient levé le camp la veille. Ils s'étaient arrêtés pour la nuit à Cou-hévérac, un hameau sur la route de Poitiers, au-delà d'Angoulême, et toute la petite troupe manifestait sa belle humeur. À l'exception cependant de d'Aubigné, la mine renfrognée, et qui depuis que Bellegarde avait remis son message à Henri n'avait soufflé un mot.

Décidé à avoir avec lui une explication,

Henri, dès leur lever, l'invita à faire quelques pas en sa compagnie, et ils arrivèrent ainsi en vue d'un grand étang désert encore nappé de brouillard.

Henri qui tenait son ami par le bras l'obligea à lui faire face.

— Vous n'êtes pas content, d'Aubigné, et j'aimerais que vous me disiez pourquoi.

— Pourvu que vous le soyez, Sire... bougonna Agrippa.

— Allons, ne faites pas votre mauvaise tête. Vous savez bien l'amitié que j'ai pour vous et combien votre avis me tient à cœur. Qu'est-ce qui vous chagrine ? Parlez-moi sans détour. Est-ce mon rendez-vous avec le roi ?

— Il est votre cousin, et vous aurez certainement plaisir à évoquer ensemble certains souvenirs du passé, dit d'Aubigné perfidement.

Henri eut un sourire triste.

— Oui, je sais à quels souvenirs vous faites allusion... à ceux de cette nuit du 24 août de 1572 où ses hommes massacrèrent tant de nos amis et où j'ai dû seulement à la chance de n'être pas moi-même assassiné. Ne croyez pas que je l'ai oubliée, cette nuit d'épouvante. Il ne se passe pas de jour sans que me reviennent en mémoire les visages de nos malheureux compagnons qui ont été cette nuit-là égorgés par les reîtres à la solde des Guise.

— Et de la famille royale.

— Admettons. Mais Guise est mort, abattu sur l'ordre du roi...

— ... qui marchait, la nuit de la Saint-Barthélemy, main dans la main avec le Balafré.

Henri se tut un bref instant.

— Je vais traiter avec le roi de France, reprit-il d'une voix grave. Lui-même est aujourd'hui exposé à la mort, oui, menacé comme moi-même je le suis. Et lui comme moi, nous savons après tant d'années de combats que nous ne pouvons l'emporter l'un sur l'autre. Alors, pourquoi ne pas tenter de nous entendre plutôt que de continuer à nous entre-tuer ? Oui, nous entendre, pour le plus grand bien du pays...

— J'ignore si la France s'en portera mieux, Sire, mais en revanche je peux vous dire ce que vous y risquez.

— Et quoi, dites-le-moi ?

— Votre âme, Sire, répondit d'Aubigné d'un ton digne et tranquille.

— Laissez à Dieu de décider de son salut, cher Agrippa.

À ce moment, dans les roseaux, presque à leurs pieds, le brouillard en se dissipant leur découvrit le cadavre décomposé d'un jeune soldat, la gorge ouverte, et qui les regardait de ses yeux vides.

— Nous ne saurons jamais à quel camp il a appartenu, murmura Henri en le désignant d'un geste à d'Aubigné. Allons, venez, cher Agrippa. La fin de la tuerie où tant de jeunes morts se sont vainement confondus et à laquelle j'aspire avec le roi mérite qu'un homme de cœur – et je sais que vous en êtes un – ne se rencogne pas farouchement dans une éternelle rancune.

Agrippa, visiblement peu convaincu, hocha la tête, et ils reprirent en silence le chemin du cantonnement.

*

Adossée à ses oreillers, Catherine était à l'écoute. Maigrie, livide, les joues flasques, elle avait maintenant beaucoup de peine à respirer. De ses doigts jaunes elle égrenait un chapelet quand on frappa.

— On a frappé, Charlotte.

La jeune femme, qui sommeillait dans un fauteuil à côté de son lit, sursauta.

— Oui, Madame, j'ai entendu.

Elle alla à la porte et l'entrouvrit.

— L'aumônier du roi, Madame.

— Eh bien, fais-le entrer.

Le jeune prêtre s'approcha du lit et salua respectueusement Catherine.

— Vous êtes l'aumônier de mon fils ?

— Oui, Madame, et je viens vous voir de sa part. Je m'appelle Julien de Saint-Germain.

*

La servante avait déposé la chandelle, les avait salués et s'était retirée. Henri, le visage marqué, s'assit lourdement à la table de la chambre d'auberge. Ils avaient chevauché tout le jour, et la fatigue se faisait sentir dans tout son corps.

— En quelle ville sommes-nous ce soir ?

— Châtellerault, répondit Maximilien qui était resté debout devant lui.

— Et quel jour ?

— Le 24 avril.

Henri sortit une feuille de son pourpoint et la tendit à Maximilien.

— Tu feras afficher cela demain. Mais d'abord ton avis. Peut-être y a-t-il quelque chose à reprendre.

Maximilien prit la feuille et lut à haute voix :

« À cette heure j'appelle tous ceux de l'État qui sont restés les spectateurs de nos folies. J'appelle notre noblesse, notre clergé et notre peuple. Qu'ils considèrent à quelle ruine nous allons et ce que deviendra la France si le mal continue. Quel repos aurons-nous et à qui aurons-nous recours dans la division ? Au roi qui ne commandera ni aux uns ni aux autres ? Aux officiers de justice ? Mais où sera-t-elle la justice ? Au maire de la ville ? Mais quel droit aura-t-il ? Au chef de la noblesse ? Mais qui sera le chef ? Confusion, désordre et misère partout. Voilà le fruit de la guerre civile. Je conjure tous les Français, je les somme d'avoir pitié de notre État. »

Les deux hommes se regardèrent un instant en silence. Ému, Maximilien approuva de la tête.

*

Le 30 avril 1589, dans le parc de Plessis-lez-Tours, tout était à la joie, et d'abord le soleil qui répandait sa bénédiction sur la foule à laquelle les pelouses et les allées avaient été ouvertes pour un jour. Il y avait des gens partout et jusque dans les arbres, hommes, femmes, qui plaisantaient, s'interpellaient gaiement, catholiques et réformés confondus, délivrés un moment de leur haine. Prêts quelques jours auparavant à s'égorger, ils semblaient ce jour-là ne faire qu'un seul corps, n'avoir qu'une seule âme habitée par l'esprit du bien. Le miracle avait-il eu lieu ? On avait lieu de le penser. Au-delà de leurs religions, des querelles sanglantes et des passions meurtrières, les Français découvraient – pour un moment – que l'ennemi d'hier pouvait être le frère d'aujourd'hui et qu'il y avait du bonheur à s'aimer. Un courrier avait averti le roi que

Navarre approchait et il était sorti pour l'accueillir. Entouré de ses courtisans, il marchait impatiemment de long en large, au bas du grand perron. Pour une fois, on le voyait sourire, et la foule en l'applaudissant semblait lui en être reconnaissante.

Une houle de vivats salua l'apparition du Béarnais, à cheval, panache blanc et petit manteau rouge. On toucha sa monture, on embrassa ses bottes, on lui jeta des fleurs. De loin, séparés par la foule, les deux rois se tendirent les bras. Quand, non sans peine, ils furent parvenus à se rejoindre, Navarre mit un genou en terre devant Henri.

— Je peux mourir, dit-il, j'ai vu mon roi.

Henri le releva, l'embrassa et c'est aux acclamations du public en délire qu'ils entrèrent, bras dessus bras dessous, dans le château royal.

*

— Depuis combien de temps, cher Henriot ?...

— Ne cherchons pas puisque nous nous sommes retrouvés.

La fenêtre du cabinet ouvrait sur les jardins.

— Et nous ne sommes pas les seuls à nous en réjouir, continua Navarre en jetant un regard sur la foule qui n'avait pas cessé de leur crier sa joie. Par quoi allons-nous commencer, Henri ? Je suppose que vous avez un plan.

Assis négligemment à sa table, le roi jouait avec un petit sablier de vermeil.

— J'en ai un, mais faites-moi la grâce de me dire d'abord le vôtre. Il recoupe le mien, j'en suis persuadé. Nous ne pouvons que nous entendre, ajouta-t-il d'un ton câlin.

— Alors, je vous dirai : commençons par Paris. Marchons ensemble sur la ville. Une fois enlevée, c'est la France que nous aurons à nous. Paris en est la clé. Nous devons commencer par là.

Le roi hocha la tête et soupira.

— Sans doute, mais son siège va être long et très coûteux en hommes et en argent dont nous sommes fort dépourvus, vous et moi.

— Je ne l'ignore pas, hélas. Paris va nous coûter très cher, mais si nous n'entrons pas d'abord dans la ville, aucun de nos succès provinciaux ne sera décisif, aucun ne mettra fin à la guerre qui s'éternisera. Il nous faut reprendre le cœur de la France. Une fois qu'il sera à nous, le pays mettra bas les armes.

Henri réfléchissait, le menton dans la main.

— Comme vous le savez, dit-il, le dernier des frères Guise, Charles duc de Mayenne, est entré dans la capitale à la joie des Parisiens qui lui ont décerné le titre de Lieutenant de la Couronne. Il tient légalement la ville en tant que chef du parti catholique, appuyé par la force espagnole. Fanatisée par les moines prêcheurs et les dominicains, la population hurle à ma mort depuis la mort du Balafré.

— Oui, je sais, murmura Navarre.

— Mayenne n'est pas un foudre de guerre, mais nous devrons pourtant lui marcher sur le ventre avant de parvenir au Louvre.

Navarre se laissa tomber dans un fauteuil, la mine grave.

— J'ai grand pitié de tous ces pauvres gens en passe de crever de faim. Déjà la ville a visage de morte, à ce qu'on m'en a dit. Qu'en sera-t-il quand nous l'aurons forcée ?

— Que les Parisiens se résignent et qu'ils nous en ouvrent les portes, s'ils veulent vivre, soupira Henri sur un ton ennuyé.

— Ils préfèrent manger leurs enfants... oui, leurs propres enfants, plutôt que de se taire, dit tristement Navarre en secouant la tête.

— Alors... murmura le roi en haussant les épaules avec indifférence.

Un nuage passa sur le front de Navarre.

— Il faut pourtant nous assurer Paris, déclara-t-il après réflexion et presque pour lui-même. Je ne vois pas comment nous pourrions mettre fin à la guerre si nous n'extirpons pas cette tumeur qui infecte le corps du royaume. Il le faut, je le sais, mais mon cœur en saigne à l'avance.

Le roi le regarda, une lueur de perplexité dans les yeux.

— Je ne vous savais pas si sensible, Henriot. Il y a des décisions qui s'imposent, oui, quel qu'en soit le prix. Les hommes que nous allons engager dans cette affaire au risque de leur vie doivent vous sentir résolu à aller jusqu'au bout. N'allez pas larmoyer devant eux sur le sort des guisards. Ils ne comprendraient pas.

— N'ayez crainte, Sire, je garderai ma pitié pour moi.

— J'en suis persuadé, mon cousin. Vous n'avez certainement pas tout oublié de votre art de la dissimulation – un art que j'ai pu maintes fois apprécier chez vous, ajouta-t-il avec un sourire ambigu. Un art indispensable aux rois, et que vous pratiquez en maître.

Henri lui adressa un petit salut ironique.

— J'ai été de longues années à bonne école au Louvre où il m'a permis de survivre. Cela dit, je suis entièrement d'accord avec vous. Il nous faut en finir avec cette guerre civile interminable et tout son cortège d'horreurs. Plus de deux cent mille trépassés en vingt-huit ans de vains combats. Maintenant que nous sommes unis, mettons un terme au malheur de la France.

— Une France dont vous hériterez si je meurs avant vous.

— À Dieu ne plaise.

— On ne sait ce qui plaît à Dieu. Pour vous nommer publiquement mon successeur au trône, je n'attends de vous, mon cousin, que quelques mots, et vous savez lesquels.

— Mon abjuration, murmura Henri après un bref silence.

— Oui, car jamais les Français ne voudront d'un roi calviniste. Vous devez abjurer, Henriot.

Navarre soupira et répondit de sa voix la plus ferme :

— Je vous répéterai ce que j'ai dit à Charles, votre frère, la nuit de la Saint-Barthélemy : instruisez-moi d'abord. Si vos théologiens parviennent à me convaincre que la religion catholique, apostolique et romaine est la plus vraie de toutes, je m'y rendrai et ferai plus. Mais ce n'est pas le plus pressé, ajouta-t-il en souriant. Avant, nous avons rendez-vous à Paris. Voyons les cartes afin que nos hommes se rejoignent au plus tôt sous ses murs.

Les cartes les attendaient déjà sur une grande table au fond du cabinet, et un instant plus tard, les deux rois penchés sur elles étudiaient avec attention leurs plans de guerre.

*

Agenouillé devant un crucifix, le dos tourné à la porte de sa cellule entrouverte sur un couloir, le jeune moine, maigre et roux, marmonnait à voix haute avec une ferveur hallucinée.

— Mon Dieu, je vous en prie, je vous en conjure, Seigneur, purgez la France de son indigne souverain, le roi Henri, que Notre Très Saint-Père vient d'excommunier parce qu'il a fait alliance avec Navarre, Henri le Béarnais, ce maudit parpaillot. Intervenez, mon Dieu, intervenez, puisque vous pouvez tout. Armez le bras qui sauvera la France et donnez-lui la force et le droit de frapper.

Mais il n'était pas seul : trois hommes, trois religieux, l'observaient à son insu par l'entrebâillement de la porte : Jean d'O, le supérieur du couvent de dominicains où se déroulait cette scène, à Paris, dans le faubourg Saint-Jacques, le jeune frère Éloi, à l'allure provocante et efféminée, et l'évêque Marteau de La Chapelle, un gros homme prudent et fin.

— Que vous avais-je dit ? souffla frère Éloi à l'oreille de Jean d'O. Cet imbécile marmonne ainsi pendant des heures, et nous entrerions chez lui qu'il n'y prendrait pas garde. Il m'a dit, poursuivit-il en ricanant, que pendant qu'il était avec Dieu, personne ne pouvait le voir. Oui, pendant qu'il est avec Dieu, il se croit invisible.

Sans répondre, Jean d'O fit signe à ses compagnons de le suivre. Sa propre cellule, beaucoup plus grande et confortable que celle du frère Clément, donnait sur un jardin désert d'où pénétrait une lumière dorée. La porte refermée, et très soigneusement, il leur fit signe de s'asseoir, mais lui resta debout.

— Vous avez entendu, dit-il enfin à l'évêque Marteau de La Chapelle. Frère Éloi m'avait prévenu des transports de ce malheureux frère, mais j'avoue que je n'y avais pas prêté l'oreille. On n'en finirait pas, s'il fallait, dans nos couvents, se gausser des folies de tous ces jeunes paysans qui rêvent sous le froc.

L'évêque croisa ses petites mains grasses sur sa bedaine et soupira.

— Ils ont besoin de femmes à cet âge, et devant s'en priver ils délirent facilement. Vous devez le savoir tout comme moi.

Il se tut un instant.

— Qu'est-ce qui vous a donc poussé à vous intéresser à ce frère Clément au point de me vouloir témoin de ses divagations ?

Le supérieur lui jeta un regard oblique.

— Vous devez bien vous en douter, Monseigneur. Maintenant que le roi de France a été mis hors de l'Église par Notre Très Saint-Père, je crois que nous devons penser à la menace qu'il présente pour nous. La situation est grave, j'espère que vous en conviendrez.

— Il est vrai que son alliance avec Navarre... avança prudemment l'évêque.

— Après l'assassinat des Guise... reprit Jean d'O.

— Et la perte pour nous du soutien espagnol, admit l'évêque dans un gémissement.

— Ah, Monseigneur... intervint alors frère Éloi en ricanant, catholiques d'abord, Français après. Notre religion avant notre pays. Les bons chrétiens ne peuvent que nous suivre.

Jean d'O lui frappa sèchement l'épaule.

— Taisez-vous, frère Éloi, nous ne vous avons pas demandé votre avis.

S'adressant à l'évêque, il reprit :

— Tout ce qui était assuré au clergé, nos

revenus et nos prébendes que nous garantissait Sa Majesté Très Catholique Philippe II d'Espagne...

— Et les Guise, surenchérit l'évêque.

— Oui, les Guise auxquels le roi Henri a tendu un lâche guet-apens avant de les assassiner, Dieu ait leur âme. Un outrage pour notre Église.

— Et une catastrophe, émit plaintivement Marteau de La Chapelle. Nous pouvons dire que nous sommes frappés au cœur.

Frère Éloi éclata d'un rire aigu.

— Au cœur peut-être, mais surtout, Messeigneurs, à l'escarcelle. Je sens la mienne qui déjà se vide. Et comment la remplir derechef, d'où me viendra l'argent ? Quelle douleur !

— Frère Éloi, s'il vous plaît, allez m'attendre à la chapelle, dit Jean d'O d'un ton sec. J'aurai des choses à vous dire dans le particulier.

Le jeune homme gloussa.

— Vous m'en voyez ravi, Monseigneur. Des choses à me dire... J'attends de les ouïr avec impatience.

Et il sortit en frétillant. Il y eut un silence. Le supérieur toussota.

— Il valait mieux que nous fussions seuls avec la personne dont je vous ai parlé. Elle tient à son incognito en raison de son rang. Frère Éloi est parfois bavard.

— Oui, vous avez bien fait. On n'est jamais assez prudent. Vous croyez qu'elle est prête...

— ... à entrer dans nos vues ? J'en suis certain.

Il baissa encore la voix :

— Sa haine pour le roi ne connaît pas de borne.

— Elle est donc la personne qu'il nous faut, conclut l'évêque avec, pour la première fois, une assurance dans la voix qui fit grand plaisir à Jean d'O.

*

Personne n'était insensible à la beauté de la duchesse de Montpensier. L'extrême finesse de ses traits, l'éclat de son regard d'un bleu d'acier, l'arc parfait de ses lèvres et son opulente chevelure d'un roux ardent lui avaient, dès sa prime jeunesse, valu d'innombrables hommages – et d'abord ceux du Balafré qui avait toujours vu en elle un peu plus qu'une sœur. Dès qu'elle était entrée dans la cellule, elle avait relevé sa voilette, et ses deux interlocuteurs, pourtant très peu sensibles aux charmes féminins, avaient en découvrant son merveilleux visage échangé un regard entendu : ils n'auraient pu rêver plus admirable créature pour le rôle qu'ils lui réservaient.

Assise gracieusement dans le meilleur fauteuil de la cellule, elle avait écouté Jean d'O sans l'interrompre, et maintenant, le menton appuyé sur le dos de la main, elle réfléchissait.

— Je vois, murmura-t-elle enfin. Un jeune exalté, sensible et dans tout le feu de son âge... J'aurai, je crois, des arguments auprès de lui.

— Nous en sommes persuadés, Madame la duchesse, dit l'évêque avec empressement. Il vous écoutera mieux que personne. Que dis-je ? Il vous suffira de paraître, et il... il...

— Il boira vos paroles en même temps que votre image, compléta le supérieur, la mine grave.

La duchesse leur sourit coquettement.

— Je ferai de mon mieux. Est-il dans sa cellule en ce moment ?

— Oui, dit Jean d'O, en train de marmonner ses litanies. Il y passe ses jours et une partie de ses nuits.

— Alors, ne perdons pas de temps, dit la duchesse en se levant.

L'évêque écarta ses bras courts avec componction.

— Nous vous devons de grands mercis, Madame. Mais encore une fois, avez-vous bien pesé ?...

— Le roi a fait assassiner mes frères Henri et Charles, et de toute mon âme je le hais.

— Je vous comprends. Mais n'en oubliez pas la prudence : Jacques Clément doit ignorer jusqu'au bout qui vous êtes.

Elle eut un mouvement superbe.

— Il ne le saura pas, soyez sans crainte. Je ne serai pour lui qu'une apparition... à laquelle il ne déplaît pas.

Alors l'évêque esquissa un petit signe de croix sur le front de la jeune femme.

— Dieu vous bénisse, Madame la duchesse, et vous ait en sa sainte garde.

*

Au même instant, frère Clément dans sa cellule embrassait passionnément les pieds du crucifix devant lequel il était à genoux.

— Je sais que vous m'écoutez, ô mon Dieu, priait-il à voix haute. Votre regard me brûle jusqu'au cœur. Ah, mon Dieu quand vous me regardez pendant que je vous parle, vous êtes le seul à me voir. Il n'y a plus que vous et moi, je me quitte pour vous, je me fonds dans votre personne, je ne suis plus qu'amour. Ah Jésus, donne-moi la force et le courage. Arme mon bras. Que je sois sans faiblir ta justice et ton glaive.

Un léger froissement d'étoffe lui coupa la parole. Il respira le souffle court un parfum inconnu. Quand il se retourna un ange en robe de soie blanche le regardait en souriant.

— Je croyais la cellule vide, murmura l'apparition. Auriez-vous le don de vous faire invisible pendant que vous priez ? Je suis venue vers vous, guidée par Dieu, pour vous charger d'une œuvre de justice.

— Qui êtes-vous ? demanda-t-il d'une voix que l'émotion enrouait.

— Je suis votre destin. Je sais que vous attendiez un signe. Je suis ce signe.

— Que voulez-vous, Madame ?

— Demandez-moi plutôt ce que Dieu veut de vous.

Elle se rapprocha et inclina vers lui son visage éclairé d'un radieux sourire.

— Quel bel homme vous êtes quand vous daignez être visible ! Fermez les yeux, je dois partir. Mais je reviendrai cette nuit, et je vous dirai ce que Dieu attend de vous.

Sa joue frôla sa joue et il crut défaillir. Oui, cette femme ne pouvait être que la messagère de Dieu. Quand il revint à lui, il était seul.

*

L'archevêque Gondi habitait à Saint-Cloud, au point le plus haut de la ville, une belle maison dont on pouvait apercevoir, du premier étage, par-dessus la forêt, les remparts de Paris.

Le 31 juillet de cette année 1589, les gentilshommes qui entouraient le roi étaient à la fenêtre et bavardaient gaiement. Sous un ciel sans nuages, Paris, dans le jour éclatant de l'été, semblait à portée de main.

Le roi était d'humeur charmante : ses troupes réunies à celles de Navarre enveloppaient la ville, les rapports des deux rois n'avaient jamais été meilleurs et le matin même on lui avait livré le plus beau bilboquet de sa collection, fabriqué d'après un dessin dont il était l'auteur.

— Paris, dit-il en plaisantant, le bras tendu, cette ville est trop grosse. Il nous faut lui tirer du sang.

— Et vous allez vous mettre à deux pour le faire, répliqua Bellegarde en parfait courtisan.

Un sourire cruel apparut sur les lèvres du roi.

— Oui, mais moi j'y prendrai du plaisir. Pas Navarre. Il a le cœur trop tendre.

Un peu en arrière du groupe qui regardait par la fenêtre, deux hommes chuchotaient en aparté.

— Navarre... dit à voix basse le comte d'Auvergne, bâtard de Charles IX, un cœur qui s'émeut avant tout pour les gens de son camp.

215

— Eh oui, soupira le duc de Biron, il est bien malheureux que le roi ait eu besoin de s'allier à un prince calviniste.

— Et qui le restera, souligna sourdement Auvergne en frappant de son poing droit dans sa main gauche. Navarre n'abjurera jamais.

— Il ne sera donc jamais roi !

Bellegarde, qui les observait du coin de l'œil, les rejoignit.

— Une messe basse, Messieurs, dit-il en les prenant chacun par le bras, peut-on y être admis ?

Les deux hommes, hésitants, le regardèrent. De quel côté était-il, Bellegarde ? Ami intime des deux rois, on ne pouvait savoir.

— Nous parlions du siège de Paris, dit Biron, et nous prenions un pari à ce sujet. Pour moi je pense que la ville tombera avant l'automne.

— Et moi après l'hiver, jeta Auvergne d'un ton moqueur.

Il va de soi que Bellegarde, qui était la finesse même, ne crut ni l'un ni l'autre.

*

Sur sa chaise percée, un manteau étendu sur ses genoux, et tandis que ses familiers allaient et venaient dans la pièce, le roi bavardait avec Bellegarde.

— Une fille de ferme ! s'exclama-t-il.

— Oui, Sire, je l'ai vue. Elle avait encore de la paille dans les cheveux. Une grosse fille rieuse qui était venue apporter son assortiment de fromages. Le roi qui sortait de sa chambre la remarque. Il y rentre derechef avec elle et n'en ressortit qu'à midi.

Henri se mit à rire.

— Je me suis toujours demandé pourquoi ma sœur Margot, qui aimait tant les hommes, et lui, toujours prêt à lever le premier cotillon à sa portée, ne s'étaient pas mieux entendus.

— Peut-être, Sire, observa Bellegarde, parce qu'on les avait mariés malgré eux et qu'ils refusaient la contrainte. S'ils s'étaient rencontrés par hasard, sans qu'intervînt la politique, s'ils avaient été libres de leur désir, peut-être alors...

À ce moment un garde passa la tête dans l'entrebâillement de la porte.

— Sire, un moine voudrait vous voir. Il dit qu'il est dominicain.

— Qu'il entre.

— Mais, Sire, il refuse qu'on le fouille !

Bellegarde fronça les sourcils.

— Qu'on le fouille de force.

— Non, dit le roi, qu'il entre. Sinon les gens iront partout répandre que je chasse les moines et ne veux point les voir.

Jacques Clément entra et s'inclina devant le roi. D'un coup d'œil, il avait fait le tour de la pièce. Mis à part Bellegarde qui se tenait auprès du roi, les gentilshommes de sa suite, causant par petits groupes, ne lui prêtaient qu'une attention distraite.

— J'ai des lettres pour Votre Majesté de la part de M. le comte de Brienne, dit-il d'une voix ferme. Outre la remise de ces lettres, je suis chargé de lui dire en secret une chose importante.

Le roi prit les feuillets que lui tendait Clément et, tandis que Bellegarde par discrétion faisait un pas en arrière, commença à les lire. À ce moment, le jeune homme tira un long couteau de sa manche et l'enfonça violemment dans le ventre du roi. Puis, le regard halluciné, il tomba à genoux et se mit à prier.

— Le méchant moine, il m'a tué, murmura Henri dans un râle, en s'affaissant lourdement sur lui-même.

Bellegarde avait dégainé. L'épée haute, il se précipita sur Clément qu'il atteignit d'abord au cou puis plusieurs fois à la poitrine. Un flot de sang lui sortit de la bouche et ses yeux se voilèrent sur une expression d'étonnement. La dame ne lui avait-elle pas dit que sa prière le faisait invisible ? Il y eut dans la chambre un grand tumulte. Les gentilshommes se pressaient en désordre autour du roi qu'on avait allongé sur le sol. Quelqu'un réclama en criant un chirurgien. Un garde qui était entré, alerté par le bruit, prenant Clément à bras-le-corps, le porta vers la fenêtre ouverte et fit basculer son cadavre dans le vide.

On avait retiré son manteau au roi, découvrant au bas de son ventre une énorme tache de sang qu'il s'efforçait de comprimer de sa main droite. Il était devenu livide, une sueur épaisse poissait son front, une sorte de râle embarrassait sa gorge.

— Bellegarde... souffla-t-il enfin d'une voix à peine perceptible.

— Oui, Sire, je suis là, dit Bellegarde s'agenouillant, le visage penché vers la bouche d'Henri.

— Qu'on aille prévenir Navarre à Meudon, et dites-lui de faire vite. Je sens que je m'en vais.

— Je vais moi-même le chercher, dit Bellegarde, et, se relevant, il sortit en courant de la chambre.

Biron tira rageusement Auvergne dans l'embrasure d'une fenêtre.

— S'il meurt, c'est le parpaillot sur le trône, murmura-t-il, et nous n'y pourrons rien.

— À condition toutefois qu'il abjure, et il n'est pas près de le faire.

— Espérons-le.

— Mieux vaut la guerre, dit Auvergne, une guerre éternelle.

*

Quand Navarre haletant et encore couvert de poussière prit doucement sa main, le roi ouvrit les yeux.

— Henri, murmura-t-il, Dieu merci, vous arrivez à temps. J'ai peine à retenir ma vie.

On l'avait transporté sur un lit dont le drap était déjà tout imbibé de sang. Le chirurgien avait fait ce qu'il pouvait, mais en vain, la plaie n'avait pas pu être bridée.

— Je vous le dis publiquement, reprit le roi d'une voix qui s'efforçait à la fermeté, vous allez hériter du royaume, mais il faut que vous abjuriez. Faites-vous catholique, et la France vous aimera.

Épuisé, il se tut un instant. La chambre était pleine de monde. On étouffait dans la chaleur. On se pressait au bord du lit. On voulait voir. Aux courtisans s'étaient mêlés les soldats de la garde du roi, les serviteurs et les gens venus de la rue. Quelques-uns à genoux priaient.

Comme le roi voulait parler encore, Navarre, les larmes aux yeux, lui chuchota :

— Sire, je vous en prie, ne vous fatiguez pas : la France a grand besoin de vous.

Rencognés dans un coin, nos deux conspirateurs n'avaient rien perdu des paroles prononcées par le roi.

— Non, même si le parpaillot abjure, on

ne l'aimera pas, dit Auvergne à l'oreille de Biron qui approuva d'un signe de menton.

— On ne l'aimera pas, renchérit Biron, parce que son abjuration, même s'il s'y résout, ne peut être que politique, elle ne convaincra personne.

Le roi rouvrit les yeux et serra la main de Navarre.

— Adieu, Henri. Vous serez un bon roi, j'en suis sûr. Et maintenant qu'on fasse entrer mon confesseur.

*

La fenêtre de la chambre où Henri s'était retiré était ouverte sur la nuit chaude et noire, illuminée de temps en temps par un éclair livide. À la lueur d'un chandelier posé sur une table, Henri, songeur, se promenait de long en large. Il y avait à peine quelques heures que le roi était mort, mais ces heures lui paraissaient des siècles.

Quand la porte s'ouvrit et qu'entra Bellegarde, il lui parut sortir d'un rêve.

— Henri, s'exclama son ami, je vous cherche partout. Que faites-vous dans cette nuit ? Mais d'abord avez-vous dîné ?

— Je n'ai pas faim ce soir.

Intrigué, Bellegarde fit un pas vers lui.

— C'est bien la première fois que j'entends ces paroles dans votre bouche. Et le soir même où vous pouvez vous dire roi... Cela devrait vous mettre en appétit.

— Eh bien non, répliqua Henri, la mine soucieuse.

— Est-ce la mort de votre cher cousin qui vous fait du chagrin ? J'aurais de la peine à le croire.

— Je l'aimais bien, mais à vous parler franchement...

Il se laissa tomber dans un fauteuil et passa sa main sur son front. Un sourd roulement de tonnerre ébranla longuement le ciel. De plus en plus abasourdi, Bellegarde se rapprocha encore de Navarre qui reprit :

— Je ne m'attendais pas moi-même à ce qui se passe en mon âme. J'ai ce que je croyais vouloir et soudain cela me fait peur. Je suis comme un cheval qui bronche sur l'obstacle.

— Mais l'obstacle... où est-il ?

— Dans l'héritage que je dois assumer. Tant que la France avait un roi, j'étais un homme libre, j'allais et je venais, je me battais joyeusement, j'aimais ici et là, mais surtout je rêvais à Nérac, à ma petite cour ensoleillée, à mes amis dont j'étais sûr. Maintenant c'est le Louvre où je me vois poussé, c'est sa nuit qui m'attend, la politique et ses mensonges.

Il se leva, alla vers la fenêtre et plongea son regard au-dehors.

— Je n'étais pas fait pour tout ça. Comprenez-vous, Monsieur le duc ?

Bellegarde qui l'avait suivi lui posa la main sur le bras.

— Oui, je comprends, dit-il à mi-voix, je comprends votre trouble. Mais épousant la belle Marguerite...

— Oui, mais ma mère et Catherine étaient tombées d'accord, et après quelle négociation ! Mon union avec Margot était le premier pas qui rapprochait les réformés des catholiques, je n'avais pas le droit de refuser au nom de mon bonheur ce qu'avaient décidé les deux reines. Elles avaient toutes les deux le sens de l'État, et moi j'étais encore un enfant, je n'avais même pas vingt ans. Et puis, entre ma personne et le trône, il y avait les trois

Valois, Charles IX, Henri et leur frère, le duc d'Alençon. J'avais tout le temps devant moi... toute une vie à vivre.

Bellegarde hocha gravement la tête.

— Souvenez-vous, Henri, à vingt ans, vous le désiriez, le pouvoir, et vous n'étiez pas du tout heureux en pensant aux trois princes, si jeunes eux-mêmes, qui vous en séparaient.

— Oui, reconnut Navarre, à vingt ans j'aspirais au trône de France, à toutes ses promesses.

— Alors retrouvez vos vingt ans et soyez plus heureux, plaisanta Bellegarde en virevoltant sur lui-même.

Henri revint s'asseoir dans le fond de la chambre. L'aboi lointain d'un chien rompit le silence nocturne. Les petites flammes immobiles des bougies incisaient la nuit noire.

— Je ne suis plus le même, dit enfin Henri à voix basse. Je pourrais être aujourd'hui le père du jeune homme que j'étais à cette époque. Oui, j'ai vieilli.

— Allons... tenta de le rassurer Bellegarde en haussant les épaules. À part quelques poils gris dans votre barbe...

— Non, Bellegarde, je le sens, je le sais. Il ne me reste que peu de temps.

Le jeune homme mit un genou en terre et serra chaleureusement la main de son ami.

— Bien assez pour jouir de la pourpre et de l'hermine. Henri, vous allez voir : ce n'est pas rien tout ce que permet la couronne.

— La couronne, je ne l'ai pas. Je ne suis roi que *de jure*. Pour voir, comme vous dites, il faudrait d'abord que j'abjure.

Bellegarde se releva d'un bond

— Eh bien, vous le ferez, dit-il avec une pointe d'impatience.

— Je ne suis pas encore prêt.

— Quand on sait comme vous que toutes les religions se valent... qu'on n'est même pas sûr de croire en Dieu... s'exclama Bellegarde, levant les bras au ciel.

— Je n'ai aucune envie d'être infidèle aux compagnons de ma jeunesse.

Que répondre à cela ? Décidément Henri était méconnaissable et Bellegarde désespérait de le ramener à lui-même. Il essaya pourtant.

— Tant que vous n'avez pas abjuré, vous n'êtes pas encore roi de France et le poids

du pouvoir ne vous écrase pas. Alors pro-
fitez-en. Jouissez de la vie.

Henri ne parut pas entendre, enfoncé
tout entier dans ses pensées. Il y eut un
silence. Bellegarde, navré, soupira et, ins-
tinctivement désireux d'échapper à l'atmos-
phère délétère de cette chambre, esquissa
un pas vers la porte, mais au moment où il
posait la main sur elle, Henri parla.

— Avez-vous remarqué ce matin les
mines de Biron et d'Auvergne quand le roi
m'a publiquement annoncé comme son
héritier ? Ces deux-là sont déjà tout prêts à
comploter, et ils vont faire des émules. Pour
le siège de Paris, je ne vais plus pouvoir
compter sur l'armée catholique. Maintenant
que son chef n'est plus, elle n'obéira pas à
son successeur huguenot. Nous pouvons
nous attendre à de nombreuses défections,
et réduit à mes réformés, je vais devoir me
replier sur la province.

— Et laisser dans Paris le champ libre aux
Ligueurs, ces enragés ? s'exclama, indigné,
Bellegarde. Mais vous n'y pensez pas... Avant
huit jours ils auront proclamé comme leur
roi le frère du Balafré, le gros Mayenne. Il
n'attend que cela, soyez-en sûr. Et vous,

Henri, qui vous croira encore roi de France quand on verra vos ordonnances datées de Limoges ?

Dos tourné devant la fenêtre, Henri ne répondit pas tout de suite. Il le savait, Bellegarde voyait juste : lever le siège de Paris, c'était avouer sa défaite, redonner de l'espoir aux Ligueurs et retarder d'autant la fin de cette épouvantable guerre qui depuis tant d'années dévorait de l'intérieur le royaume de France. Mais que pouvait-il faire présentement ?

— D'ici peu, si je ne les regroupe pas en province, mes troupes, incapables de forcer Paris, vont se défaire sous ses murs. Laissez-moi maintenant, ajouta-t-il d'une voix lasse. Je vais dormir.

*

Comme il l'avait prévu, les soldats catholiques de l'armée d'Henri III refusant de servir sous son commandement, Henri dut renoncer à poursuivre le siège et se retira en bon ordre en Normandie. Dans les mois qui suivirent, il y eut nombre d'escarmouches, de villages perdus et repris et d'affrontements incertains. Encouragé par sa retraite, Mayenne vint l'attaquer en force à Arques et à Ivry. Il fut battu et le Guise revint s'enfermer dans la capitale, toujours ouvertement soutenu par Philippe II, roi d'Espagne qui aspirait à faire couronner reine de France sa fille Isabelle qu'il avait eue de sa femme Élisabeth, fille aînée d'Henri II et de Catherine de Médicis.

Et c'est ainsi qu'ayant réussi sa percée et fort des batailles gagnées, Navarre se retrouva un an après sous les murs de Paris.

Par une brûlante journée du mois d'août, Henri et Maximilien se promenaient en vue de l'Île aux vaches sur les bords ombragés de la Seine.

— Abjurer... dit Henri qui pensait à voix haute, je risque d'y perdre le soutien des miens sans m'assurer pour ça l'amitié des catholiques auxquels mon ralliement ne peut à bon droit qu'être suspect. Ah Dieu, que c'est embarrassant d'être en ces deux religions ! Quoi que je fasse je ne ferai rien qui me plaise. Il faut pourtant que je prenne position.

Le futur duc de Sully réfléchit un moment en silence.

— Tout bien pesé, Sire, commença-t-il enfin, et malgré ma fidélité à ma foi hugue- note, je vous conseillerai d'abjurer.

— Tu le penses vraiment ? dit Henri s'arrêtant brusquement et le saisissant par le bras.

— Oui, je le pense. Après tout, Paris vaut bien une messe, et puisque ces enragés de Parisiens s'obstinent à mourir de faim jus- qu'au dernier plutôt qu'ouvrir leurs portes à un roi parpaillot...

— Je les comprends, reconnut Henri à voix basse.

— Et vous ne savez plus que faire. Je ne crois pas que comprendre son adversaire en politique avance beaucoup les affaires.

— À tout le moins le comprendre vous ôte l'envie de le tuer.

— C'est bien ce que je voulais dire, grom- mela Maximilien.

Ils avaient repris à pas lents leur prome- nade. Une brise rafraîchissante vint faire frémir les ramures au-dessus de l'eau trans- parente, et Henri eut une pensée émue pour les Parisiens assoiffés et affamés dans la ville assiégée.

— Eh bien moi, reprit-il, je préfère comprendre – et tu verras, discuter, négocier, tolérer, c'est aussi une politique, et elle peut porter de plus beaux fruits que celle qu'on impose aux gens par le massacre et la terreur.

— Je l'espère pour vous.

— Espère-le surtout pour le royaume.

Maximilien reprit en souriant le bras de son ami.

— Henri, la France et vous, il y a bien longtemps que c'est pour moi la même chose.

Une voix les héla joyeusement au-dessus du remblai : Bellegarde qui les cherchait venait de les apercevoir à travers le branchage. En trois bonds il les rejoignit sur la berge. Il était comme d'ordinaire d'une excellente humeur.

— À voir vos visages, Messieurs, s'exclama-t-il, on ne peut douter que vous débattiez d'une affaire fort grave, mais ne pensez-vous pas qu'un bon bain entre amis, par cette canicule, aurait le plus heureux effet sur vos réflexions ?

— Ma foi, l'idée n'est pas mauvaise, dit Henri séduit par cette proposition. Viens,

Maximilien, allons jouer un peu dans l'eau. Peut-être y verrons-nous plus clair après.

Ils ôtèrent rapidement leurs vêtements sous les arbres et coururent tout nus se jeter dans les eaux fraîches de la Seine.

Ce fut un bon moment. Ils nagèrent jusqu'à l'Île aux vaches et revinrent vers leur point de départ en riant et en plaisantant, tout à la course : ils avaient retrouvé pour un instant leur enfance à Nérac, l'innocence des jours heureux. Henri et Maximilien achevaient de se rhabiller, prenant leur temps, au contraire de Bellegarde qui enfilait ses vêtements en hâte.

— Es-tu donc pressé à ce point, mon ami ? l'interrogea Henri, intrigué.

— Je dois vous avouer, Sire, que je suis attendu.

Henri le poussa malicieusement du coude.

— Ah ! attendu... Laisse-moi deviner. Par une femme, je parie.

— Et quelle femme, Sire, dit Bellegarde en prenant un air fat. Une superbe créature aux crins dorés. Une taille de violon... et du corsage.

— Ta maîtresse ?

— Depuis la semaine dernière. À peine dix-sept ans, blonde aux yeux noirs, et je suis son premier amant.

— Et tu es heureux avec elle ?

— Ah, Sire, je suis au paradis. Elle est d'une soumission qui me ravit et d'une ardeur... que toutes les eaux de la Seine n'éteindraient pas.

— Elle t'est tout acquise, en somme...

— Tout entière et à tout moment.

Henri, qui était maintenant rhabillé, enfourcha souplement son cheval.

— Tu n'as donc aucune raison d'être jaloux. J'ai hâte d'admirer ce chef-d'œuvre de la nature. Ne viens-tu pas, Béthune ?

Maximilien pinça les lèvres et afficha toute sa dignité.

— Des affaires m'attendent, Sire, et je dois les régler sans tarder. Bien du plaisir à vous. Mais moi je rentre au camp.

— Alors, va travailler, mon cher, dit Henri avec insouciance. Personne ne le fait mieux que toi.

— Je sais, conclut Maximilien sur un ton suffisant. Pour le travail, je suis toujours le premier.

Henri le salua d'un geste de la main et,

piquant des deux, rejoignit Bellegarde dont l'humeur s'était quelque peu assombrie.

— Allons-y maintenant. Je te suis. Il est vrai que ce bain m'a fait le plus grand bien.

*

Le ravissant manoir de Cœuvres en brique à coins de pierre s'élevait au milieu d'un grand parc devant une suite de bassins couverts de nénuphars. Gabrielle, qui guettait impatiemment l'arrivée de son amant par une fenêtre du premier étage, se jeta dans ses bras, sans même un regard pour Henri, dès que les deux hommes furent arrivés en haut du grand escalier. Bellegarde, assez embarrassé, se dégagea de son étreinte.

— Sire, j'ai l'honneur de vous présenter Mlle d'Estrées dont je vous ai dit les mérites.

Gabrielle le salua distraitement d'une inclination de tête et prit la main de Bellegarde.

— Venez, Monsieur, je voudrais vous montrer dans le fond du jardin quelque chose qui vous plaira.

Henri s'interposa avec une ferme douceur.

— Si vous le permettez, Madame, j'aurais un mot à dire au duc avant de vous l'abandonner, et prenant Bellegarde par le bras il l'entraîna dans l'embrasure d'une fenêtre. Mon cher ami, murmura-t-il, dès qu'ils furent à l'écart, ne rêvez plus à Mlle d'Estrées.

Bellegarde eut l'impression d'être frappé par la foudre.

— Ne plus... mais Sire, balbutia-t-il tandis que le sang se retirait de son visage, je ne vous comprends pas.

— Mlle d'Estrées n'est plus à vous, expliqua-t-il avec un calme redoutable.

— Plus à moi ?

— Non. Parce qu'il me la faut, il me la faut pour moi tout seul. Je compte donc sur vous pour lui faire comprendre que je ne la partagerai avec qui que ce soit... même pas avec un ami.

À quelques pas, Gabrielle, comme une jument ombrageuse, frappait le sol d'un pied nerveux.

— Mais, Sire, elle ne voudra pas, osa enfin Bellegarde. Elle est fort entêtée. Je la connais.

— Répétez-lui ce que je vous ai dit, et

priez-la d'accepter mes hommages. À demain.

Et saluant de loin Gabrielle, il sortit, laissant Bellegarde atterré.

*

Le lendemain matin, par grand beau temps, un carrosse surgit au galop de ses quatre chevaux dans la cour du château de Compiègne et s'arrêta devant le grand escalier. Gabrielle en sortit impétueusement. Une personne d'âge la suivait avec plus de lenteur.

Gravissant quatre à quatre les marches, la jeune fille arrivée sur le palier ouvrit à la volée une à une les portes qui s'offraient à elle. Un valet effaré tenta en vain de s'interposer. Elle le bouscula.

— Le cabinet du roi ?

— À cette heure, Madame, le roi travaille.

— Je veux le voir.

— Je dois d'abord vous annoncer, Madame.

— Il me connaît.

— Mais, Madame...

Le roi était à sa table à écrire. Il se leva, surpris, en la voyant entrer de force. Le valet essaya de la retenir par le bras, mais elle lui reclaqua violemment la porte au visage. Et elle vint se camper fièrement devant Henri.

— Madame, quel honneur... murmura-t-il, médusé et admiratif.

— Ne me connaissant pas, Monsieur, lança-t-elle insolemment et ne m'étant en rien apparenté, rien de vous autorise à vous mêler de mes affaires. Et pourtant j'ai appris par M. de Bellegarde que vous vous étiez permis de lui défendre de me voir. De quel droit, s'il vous plaît ? Vous n'en avez aucun sur moi. Tenez-vous-le pour dit : j'entends demeurer libre de toutes mes inclinations... et même de tous mes caprices. En voulant m'empêcher d'épouser M. de Bellegarde, je ne sais trop pourquoi et je ne veux pas le savoir, vous ne vous attireriez que ma haine. Il vaudrait mieux vous en tenir à mon indifférence.

Et faisant volte-face, elle sortit avant qu'Henri ait pu placer un mot. Il allait vers la porte à dessein de la rattraper quand elle se rouvrit et Mme de Sourdis se glissa dans la pièce. Elle lui fit une profonde révérence.

— Daignez lui pardonner, Sire, elle est si jeune et d'une nature de feu, brûlante, impatiente, impétueuse en tout. Ah oui, une riche nature qui emporte toutes les digues et fait fi de tous les interdits. Heureusement le cœur est bon. Moi qui l'ai élevée – je suis sa tante – je peux vous en donner la garantie : un tendre petit cœur, un petit cœur en or – et particulièrement avec les siens. Oui, Sire, je vous conjure de me croire, elle nous est très attachée et son plaisir suprême est de faire plaisir à sa famille qui l'aime tendrement et a tant fait pour elle. Il est vrai que sa parentèle a eu fort à souffrir de la guerre civile.

— Ah, Madame, tenta Henri, vous n'avez pas à m'en convaincre et je suis décidé, pour ma part...

— Sire, j'en suis persuadée, reprit incontinent Mme de Sourdis en lui faisant la révérence. Fort à souffrir, disais-je, et tout d'abord en la personne de son père Antoine, qui n'est pas consolé encore d'avoir perdu injustement son gouvernement de La Fère. Un drame pour cet homme dont la probité et les mérites étaient donnés en exemple dans toute la province.

Auquel s'est ajouté le chagrin de son oncle, François de Sourdis, mon époux, le gouverneur de Chartres, que les catholiques, sans tenir compte de son administration exemplaire, chassèrent brutalement de sa maison.

— Ah, Madame... essaya de nouveau Henri, mais cette fois un ton plus bas.

— Je ne parlerai même pas du sire Hurault de Cheverny, un parfait honnête homme qui révère Votre Majesté et auquel pour cela même je me suis attachée, continua avec emportement Mme de Sourdis. Non, je ne veux pas abuser de la bonté de Votre Majesté en l'intéressant à cet homme qui fut précipité dans un malheur aussi injuste qu'épouvantable.

Portant une main à son cou, elle y étouffa un sanglot.

— Pardonnez mon émotion, Sire, mais l'évocation de ce que nous avons perdu, des larmes que nous avons versées, des chagrins qui nous accablent, et surtout votre bienveillance, et cette attention que vous prêtez à mon triste discours...

Elle chancela sur ses jambes et Henri, se précipitant, lui avança un fauteuil qu'elle refusa d'un geste.

— Ah ! Gabrielle... elle mériterait que vous ne lui pardonniez jamais... non, jamais. Que votre évidente bonté tienne compte seulement qu'elle est encore une très jeune fille, presque une enfant, et que la meilleure façon de ramener ce charmant petit monstre à de plus justes sentiments envers Votre Majesté n'est pas de lui donner le fouet, quelque envie que vous en ayez, mais simplement de ne pas paraître insensible aux pertes éprouvées par les siens.

Il y eut un silence. Mme de Sourdis soupira. Henri hocha la tête.

— Au cas où Votre Majesté consentirait, dans sa grande bonté et son souci de réparation, à faire un geste en faveur d'un des membres de notre famille, je puis vous assurer, Sire, que ma nièce sera toute disposée à vous montrer toute sa gratitude. Je la connais mieux que personne et c'est là un engagement – un engagement solennel que je prends en son nom.

— Je ferai tout ce que je peux, Madame, dit Henri en la regardant dans les yeux.

*

En cette fin du mois d'avril de 1591, dans son cabinet de Meudon, assis devant la cheminée, Sully jeta par terre avec dégoût le roman anonyme qu'il venait d'achever de parcourir : *Les Amours du Grand Alcandre*. L'auteur (on lui avait juré qu'il touchait de très près le duc de Bellegarde) y contait avec complaisance certains épisodes galants du siège de Paris : le Grand Alcandre, après avoir séduit la jeune abbesse de l'abbaye bénédictine de Montmartre, pousse jusqu'à Longchamp où une abbaye de franciscaines, dont la légèreté de mœurs est de notoriété publique, ouvre une nouvelle carrière à sa lubricité. L'auteur n'avait rien inventé ; tout cela était vrai, hélas. Les pamphlétaires ligueurs se régalaient des fredaines du roi qu'ils comparaient dans le *Banquet du Comte d'Arète* à un vieux bouc barbu qui guidait par les villes et par les camps « un troupeau de chèvres lascives et principalement de religieuses habillées de cotillons de satin blanc ».

Sully, navré, hocha la tête. Et maintenant après les nonnes de vingt ans, la courtisane de dix-sept, cette d'Estrées qui a fait de

Navarre, depuis leur première rencontre, un esclave balbutiant d'amour : « Ma joie, ma vie, mon âme, mon bel ange »... Il a vu le billet et il en a eu honte pour son maître. Et pendant qu'il roucoule, le siège de Paris s'éternise, l'armée grogne et les impôts ne rentrent pas. Pauvre France !

Un bruit de pas dans l'escalier. Sully se lève et fait face à la porte qui s'entrouvre. Henri qui porte encore sa tenue de campagne entre timidement.

— Ah, Sire, vous enfin... dit-il avec froideur. J'ai failli m'inquiéter. Quelles nouvelles de Rouen, cette clé de la Normandie ? N'avez-vous pas perdu trop de gens à prendre la ville d'assaut ? On m'a dit qu'elle avait des remparts fort solides. Et les navires de nos alliés anglais ont-ils pu débarquer leurs troupes qui devaient opérer leur jonction avec les nôtres ?

Henri, embarrassé, se gratta le menton.

— À dire vrai, murmura-t-il, j'ai dû revoir mes plans au tout dernier moment.

— Auriez-vous négocié ?... C'est que nous sommes pauvres, vous le savez. Enfin, je sais votre souci d'épargner le sang des Français.

— Non, dit Henri qui ne savait littéralement où se mettre, ce n'est pas de Rouen que je reviens, mais de Chartres.

De la froideur, Sully passa à la glace.

— Ah, de Chartres ! Par quel hasard malencontreux ? Vous seriez-vous égaré en chemin ?

— Oui... enfin non... de Chartres que j'ai prise en passant, finit par avouer piteusement le roi.

Alors Sully, croisant les bras, congestionné de colère, laissa éclater sa fureur.

— Je voulais vous l'entendre dire. Oui... de Chartres, je le savais... De Chartres que vous avez prise *en passant* pour en faire cadeau à François de Sourdis, l'oncle de Mlle d'Estrées qui vous était promise à ce prix. Vous avez lâché notre alliée, Élisabeth d'Angleterre, dont les navires ont attendu en vain au large, mais votre petite maîtresse a eu dix mille écus pour elle et Chartres pour son oncle. Dix mille écus pour une nuit de fornication que vous auriez pu avoir pour deux pistoles avec n'importe quelle putain. Dix mille écus alors que le Trésor public est vide et que la solde de vos gens d'armes n'est pas payée depuis des mois.

Il y eut un silence. Henri baissait la tête. Une bûche s'écroula dans la cheminée.

— Vous devriez ne plus oser la baiser, cette bagasse... ajouta le ministre d'une voix où le dédain le disputait à la tristesse.

— Oui, de ton point de vue, mais essaie de comprendre, balbutia Henri.

— Oh, j'ai compris depuis longtemps, dit Sully en allant se rasseoir, tournant ainsi le dos au roi. La créature a sur vous tout pouvoir. Je suis au désespoir de devoir constater chez vous cette faiblesse qui coûte très cher à la France.

Henri ne répondit pas tout de suite. Les mains derrière le dos, il allait et venait dans la pièce envahie peu à peu par l'ombre. Il était las, sa jeunesse l'avait quitté depuis longtemps, sa solitude lui pesait comme jamais. Comment dire cela ? Il essaya pourtant.

— En tant que roi, murmura-t-il, je m'oblige à me battre, à dissimuler, à mentir. Ma mission le veut, et bien que j'aie parfois de la répugnance à l'accomplir, je ne m'y déroberai pas. Mais en tant qu'homme, tu le sais, ma maison était à Nérac où je vivais dans l'amitié, l'innocence, la vérité de la nature. Depuis vingt ans que j'ai quitté ma petite patrie, je me bats pour la France où je reste le seul à pouvoir faire régner un jour la paix, la réconciliation, la tolérance. Du bonheur pour lequel j'étais né, il ne me reste rien sinon les femmes, la douceur de leur peau, le désir que j'ai d'elles. Oui, je sais qu'elles coûtent cher bien que ne valant pas grand-chose, mais elles m'aident cependant à demeurer moi-même dans la conquête du pouvoir et la tentation des abus.

Une nouvelle bûche s'écroula dans la cheminée, libérant une gerbe d'étincelles, et Sully soupira.

— Entends-moi bien, reprit le roi, je ne me cherche pas d'excuse, je voulais seulement...

Il se tut, haussa les épaules et sortit sans avoir ajouté un mot.

*

Inondée par la lumière d'un chaud soleil d'été, la chambre était en fête, et Gabrielle toute nue. Un homme dont la chevelure émergeait d'un drap en désordre la tenait

étroitement enlacée. Les amants chucho-
tants eurent un rire complice qui paraissait
répondre aux pépiements de deux mé-
sanges dans une cage aux fins barreaux
dorés suspendue au-dessus du lit.

— Ah, tiens, murmura Gabrielle, c'est
encore meilleur quand on est obligé de se
cacher.

— Pour moi, je m'en passerais bien,
répondit l'homme d'une voix lasse. Et s'il
nous surprenait, te rends-tu compte ?...

Elle attira la bouche de son amant sur
sa poitrine, se dispensant ainsi de lui
répondre. À ce moment il y eut dans l'appartement le bruit lointain d'une porte
qu'on reclaque et s'arrachant au corps de
sa maîtresse, Bellegarde, épouvanté, fit un
bond hors du lit.

Henri parut.

— Déjà couchée... dit-il en souriant à
Gabrielle. Cela nous fait gagner du temps.
J'en ai si peu à te donner, ma mie.

— J'avais compris que le Conseil te
retiendrait jusqu'à midi...

— Sully n'ayant pas pu y assister, retenu
au-dehors par je ne sais plus quelle affaire,
il a été plus bref que prévu, mais tout le

temps qu'il a duré, je n'ai pensé qu'à toi qui m'attendais.

Tout en parlant il s'était prestement déshabillé et entra dans le lit. Un gémissement étouffé filtra. Henri, qui avait déjà pris Gabrielle dans ses bras, s'écarta d'elle et la regarda dans les yeux : elle était blême. Alors il prit une coupe remplie de fruits sur une table basse qui était à portée de sa main et en forçant un peu la glissa sous la couche.

— Il faut que tout le monde mange, dit-il d'une voix triste.

*

Dans la touffeur de cet été de 1592, Paris agonisait.

Le blocus de la ville était maintenant achevé. Corbeil, Melun, Bray, Provins et Montereau sont occupées, et au début du mois de mai les ponts de Saint-Cloud, de Poissy, de Saint-Maur, de Meulan et de Charenton sont passés sous le contrôle de l'armée royale. Henri, portant toutes ses forces sur la rive droite puisque ce n'est du nord que peuvent venir des secours aux assiégés, établit son quartier général à

Montmartre où deux pièces de canon ont été installées sur la butte. De Montfaucon, au pied du gibet, deux autres tirent également sur la ville, y répandant avec une terrible régularité l'épouvante et la mort, sans toutefois que les Parisiens héroïques envisagent de capituler. Il eût fallu donner l'assaut à cette ville fanatisée où s'entassaient plus de deux cent mille personnes, mais l'armée des assiégeants comptant à peine treize mille hommes ne pouvait espérer l'emporter. Seule la reddition par la famine sous l'effet du blocus livrerait la clé du royaume, Henri le savait bien. Mais farouchement résolus au martyre, retranchés dans leur foi comme dans leur enceinte fortifiée, les Parisiens ne donnaient aucun signe de faiblesse.

Et pourtant la famine, maintenant, sévissait. Mises à part quelques grandes maisons dont les caves recelaient des réserves de nourriture, on ne trouvait plus rien à manger. C'était d'abord le pain qui avait disparu – pain de froment, puis d'avoine et de son. Alors les gens allèrent dans les cimetières et déterrèrent les squelettes afin d'en broyer les os pour les panifier. Mais ceux qui eurent le courage de goûter à cette horrible pâte en moururent. Ce fut ensuite la chasse aux animaux qui étaient demeurés en vie : les ânes, les mulets, les chiens, les chats, les souris, et bien entendu les chevaux, furent tués et dévorés. L'ambassadeur d'Espagne qui, lui, mangeait tous les jours à sa faim, organisa aux carrefours des soupes populaires où nageaient des débris immondes. Quand ces débris à leur tour manquèrent, le pauvre peuple se rabattit sur les tripes jetées aux ordures, l'herbe poussiéreuse qui poussait au pied des remparts, les chandelles et l'écorce des arbres. Ici et là, l'anthropophagie apparut : on vit des mères donner à dévorer à leurs enfants le cadavre d'un frère ou d'une sœur qui venait de mourir.

Henri n'était pas sans savoir l'étendue de toutes ces misères, et l'on dit que plus tard, à ces terribles souvenirs du siège, les larmes lui venaient encore aux yeux. S'il s'obstinait alors que la promesse de sa conversion avait été faite publiquement, c'était qu'il voulait d'abord obtenir un succès militaire. Lorsqu'il en aurait terminé avec Mayenne et ses alliés espagnols, son ralliement au catholicisme serait le fait d'un homme libre, alors

que décidé sous la pression des assiégés, il
n'exciterait que le mépris. Pourtant, afin
d'adoucir quelque peu les souffrances des
Parisiens, il permit aux vieillards et aux
petits enfants affamés de sortir de la ville, et
l'on put voir le cortège fantomatique de ces
malheureux errer en trébuchant à l'extérieur des remparts. D'autre part, une char-
rette symbolique de vivres fut expédiée
chaque jour dans la ville, mais celle-ci est
confisquée régulièrement au profit de l'ambassadeur d'Espagne, du légat du pape et
des princesses de Guise.

À mesure que les jours passaient l'espoir
d'un secours espagnol arrivant pour briser
l'étreinte de l'armée royale s'amenuisait, et
en effet le duc de Parme venu de Flandre,
après avoir étudié la situation militaire des
hauteurs de Saint-Cloud, se retira, de peur
d'une défaite, sans avoir engagé ses troupes.

*

Effrayante et désespérée, la vie à l'intérieur des remparts s'épuisait chaque jour un
peu plus. Comme un malade qui se sait

inguérissable et qui sombre dans l'hébétude, Paris se retirait farouchement dans le silence et l'immobilité. À peine si quelques frémissements, ici et là, attestaient qu'elle n'était pas encore morte.

Par cette brûlante après-midi du mois d'août, dans une ruelle de l'île de la Cité au-dessus de laquelle on pouvait voir les tours de Notre-Dame, trois très jeunes enfants déguenillés, deux garçons et une fillette, gisaient au pied d'un mur. L'un d'eux arrache péniblement d'entre les gros pavés un peu d'herbe et la porte à sa bouche. Mais elle est sèche et jaune. Il a un haut-le-cœur et la recrache avec effort. Recroquevillée sur le sol, des mouches sur les yeux, la petite fille, squelettique, est mourante. Le troisième, l'aîné, assis contre le mur, la tête dans les mains, ne bouge pas.

Deux prêtres qui vont à Notre-Dame en récitant leur chapelet passent. L'un d'eux, sans s'arrêter, les bénit d'un signe de croix. Le second, revenant sur ses pas, donne au petit garçon contre le mur une pièce d'argent. L'enfant la pétrit dans ses doigts et la laisse tomber par terre. Non loin de lui, dans un ressaut de la muraille qui s'élève très haut vers le ciel implacable, quelque chose de noir et de luisant a bougé. L'enfant ouvre les yeux et croise le regard d'un rat énorme qui le surveille. Il ramasse un caillou et le lui lance. Le rat que la pierre a manqué n'a pas bougé et continue à regarder l'enfant.

À intervalles réguliers tonnent les pièces de canon qui tirent des hauteurs de Montfaucon et de Montmartre. Un boulet tombe au bout de la ruelle. S'élève alors avec lenteur un gros nuage de poussière qui recouvre les trois enfants pétrifiés d'un suaire de cendres.

*

Les artilleurs étaient en train de rallumer leurs mèches quand Henri à cheval, que Gabrielle accompagnait, mit pied à terre sur la colline herbue de Montmartre. Il les observa un moment puis tendant la main à sa maîtresse il entra avec elle sous la tente royale. À peine y avaient-ils pénétré que le bruit des deux pièces de canon tirant ensemble les fit sursauter.

— Il faut arrêter ça, dit soudain Henri, le

front grave, et il ressortit vivement de la tente.

Quand il réapparut le grondement des tirs s'était tu. Il vint s'asseoir aux genoux de Gabrielle.

— J'ai fait envoyer un courrier à Montfaucon, reprit-il. On ne tirera plus sur Paris. Je préfère renoncer à y entrer plutôt que de revoir la ville en ruine et pleine de cadavres.

— Est-il vrai, demanda Gabrielle en lui posant la main sur l'épaule, qu'en ce moment un rat crevé s'y vend vingt-quatre livres ?

— Oui, et des mères mangent les cadavres de leurs nouveau-nés. Comment accepter ces horreurs ? L'Histoire ne me les pardonnera pas.

— Pourquoi renonceriez-vous à Paris alors que vous pouvez y faire votre entrée acclamé par ses habitants ? Ils rêvent de revoir un roi.

— Oui, un roi... mais un roi catholique.

Elle haussa légèrement les épaules.

— Henri, cela ne tient qu'à vous.

*

— J'ai réfléchi, Sire, oui, j'ai longuement fait retour sur notre conversation d'avant-hier.

Ils étaient à Meudon, tôt le matin, dans le cabinet de travail de Sully qui, les mains au dos, marchait de long en large devant Henri, appuyé à la cheminée.

— Bon, tu as réfléchi, et je suppose que maintenant tu as quelque chose à me dire.

— Oui, Sire, après réflexion.

— Je t'écoute.

Maximilien s'arrêta tout à coup devant Henri et, l'œil grave, lui fit face.

— Eh bien, Sire, si vous voulez m'en croire, il ne faut plus tortillonner et je vous conseille d'aller à la messe. Les Français ont besoin d'un roi, ils sont malades de ne pas en avoir, et le risque est qu'ils fassent fête à quelqu'un qui ne vous vaudra pas. Les prétendants sont si nombreux ! Alors pourquoi pas vous, puisque jamais vous n'avez cessé de penser que le salut d'une âme pouvait se faire en l'une ou l'autre religion ?

— Toi... tu me conseilles d'abjurer ? dit Henri, stupéfait.

— Oui, Sire, moi, votre ami. Sachant ma foi de réformé, vous devez vous douter que je ne vous le dis pas sans regret, mais j'aime trop la France et suis trop soucieux de votre renommée pour ne pas vous le dire, du fond du cœur. Abjurez, Sire, faites-vous catholique, apostolique et romain.

— Mme d'Estrées me tient le même langage que toi. Je sais que tu ne l'aimes pas, mais vous êtes d'accord sur ce point, pour cette fois, et j'en suis aise.

Sully hocha la tête avec un air rusé.

— Mme d'Estrées que vous avez promis d'épouser.

— Ah, comment le sais-tu ?

— Tout le monde le dit... Mme d'Estrées que vous avez promis d'épouser n'ignore pas que votre mariage avec Madame Marguerite ne peut être annulé que par le pape, et qu'il faut donc que vous vous fassiez catholique afin qu'il y mette la main. Mais sur le fond, je vous l'accorde, elle a raison. Paris vaut bien une messe.

— Alors va pour la messe, murmura le roi souriant. Il est dit que j'aurai tâté de toutes les théologies.

Et en effet il avait changé jusque-là cinq

fois de religion : catholique sur la décision de son père jusqu'à sa sixième année, calviniste pendant deux ans par la volonté de sa mère, ramené ensuite au catholicisme pour quelques mois, puis de nouveau à la religion réformée après la mort d'Antoine de Bourbon. Il y demeura jusqu'à la nuit tragique de la Saint-Barthélemy où il abjura sous la contrainte. Après s'être échappé du Louvre il rallie tout naturellement le calvinisme pendant les dix-sept années qui suivent. Et maintenant la politique lui impose une ultime conversion pour être le roi des Français mais au risque d'être abandonné non seulement de ses compatriotes protestants, mais encore de ses alliés du nord de l'Europe, anglais, néerlandais, allemands, suisses et scandinaves. Qu'il eût si longtemps hésité se comprend. Gabrielle elle-même, malgré les déclarations d'Henri faites de vive voix, vivait dans la crainte d'un tout dernier revirement, et c'est les mains tremblantes que ce matin du 23 juillet elle rompit le sceau de ce billet qu'un courrier venait de lui apporter dans sa chambre.

« *Ce sera ce dimanche 25 juillet que je ferai le saut périlleux à Saint-Denis. Bonjour, mon cœur. Venez demain de bonne heure, car il me semble déjà qu'il y a un an que je ne vous ai vue. Je baise un million de fois les belles mains de mon ange et la bouche de ma chère maîtresse.* »

Elle replia le billet avec un sourire de triomphe et alla ouvrir la fenêtre au grand soleil du bel été.

*

Il faisait déjà chaud le dimanche suivant vers neuf heures quand le roi sortit du palais abbatial entouré d'une suite nombreuse de gentilshommes et se dirigea à pied par les rues jonchées de fleurs vers la grande église de Saint-Denis. Vêtu de satin blanc chamarré d'or, portant un chapeau noir à panache et une cape de même couleur, il souriait, heureux des vivats d'allégresse qui avaient salué son apparition. Devant le portail de Suger l'attendait l'archevêque de Bourges, Renaud de Beaune. Au premier rang à droite, Gabrielle, merveilleuse de grâce dans sa robe de soie abricot, affichait son bonheur. À gauche, quelques hauts dignitaires huguenots ne faisaient rien pour cacher leur mine contrite, et à l'arrière-plan, Agrippa qui observait sévèrement le compagnon de sa jeunesse.

Roulements prolongés des tambours et appels des trompettes. Henri s'agenouilla. Le silence se fit.

— Qui êtes-vous ? l'interrogea Renaud.

— Je suis le roi.

— Et que demandez-vous ?

— Je demande à être reçu dans le sein de l'Église catholique, apostolique et romaine.

— Le voulez-vous ?

— Oui, je le veux. Je proteste et jure devant la face de Dieu Tout-Puissant de vivre et de mourir en la religion catholique, de la protéger et défendre envers tous, au péril de mon sang et de ma vie, renonçant à toutes hérésies contraires à ladite Église catholique, apostolique et romaine.

Il tend à l'archevêque sa profession de foi signée, reçoit son absolution, sa bénédiction et entre dans la nef aux acclamations de la foule tandis que la musique du *Te Deum* roule puissamment sous les voûtes.

Ainsi il a franchi le pas, fait « le saut périlleux ». L'héritier des Bourbons a rejoint
dans leur religion les vieux rois capétiens
dont les tombeaux s'alignent dans l'ombre
du transept. Lui qui trois jours auparavant
assistait encore au prône entend la messe,
se confesse et communie. Roi de France et
de tous les Français ! Jeanne d'Albret, sa
mère, et Catherine avaient vu loin, leur politique était la bonne, il avait tenu l'espérance
qu'elles avaient mise en lui. Il allait maintenant pouvoir travailler efficacement à la
réédification de la France.

Quand dans l'après-midi il sortit enfin de
l'église, le ciel s'était couvert de nuages sou-
frés. Sur le parvis Biron le désigna d'un
signe à Auvergne avec un sourire ironique :
est-ce que Dieu se fâcherait ? Et il se fâcha,
en effet. À peine Henri était-il à cheval
que l'orage creva et qu'une violente averse
trempa les cavaliers. Entouré de ses proches,
le roi galope à l'aveuglette. Ils vont sortir de
Saint-Denis quand la façade d'une auberge
apparut à travers la pluie sur le bas-côté de
la route. Au moment où les cavaliers met-
tent pied à terre sous la voûte, Henri voit
d'Aubigné se diriger vers lui. Surpris et un

peu inquiet, car il connaît l'intransigeance de son ami, il le prend par le bras et l'entraîne dans une chambre à l'étage.

À peine la porte refermée, Agrippa passa à l'offensive.

— Et maintenant, Sire, éclairez-moi : allez-vous dire vos prières en latin ou en français ?

Henri eut un léger sourire.

— Je les dirai en béarnais, la langue que m'apprit mon grand-père, la première que j'ai parlée.

— Malgré tout votre esprit, répondit sèchement Agrippa avec un haussement d'épaules excédé, vous n'avez pas moins déserté le camp du bien pour parvenir au trône – et uniquement pour cela. Les catholiques ne seront pas dupes de la manœuvre, et vos amis, vos amis de toujours, vos fidèles compagnons de jeunesse, les réformés, seront amèrement déçus.

Au-dehors la pluie s'était brusquement arrêtée, et ils entendirent sous la fenêtre l'eau qui gargouillait dans la gouttière.

— Comment avez-vous pu, Henri ? reprit tristement Agrippa. Avez-vous oublié la Saint-Barthélemy, tous nos amis assassinés ?

Rallier le camp des égorgeurs par souci politique !

Les bras croisés, le roi le regardait pensivement.

— Henri, reprit un ton plus haut d'Aubigné, n'êtes-vous pas étouffé par le remords ?

— J'ai d'abord pensé à la France qui est exsangue et aux Français que je me suis juré de réconcilier depuis vingt ans. Or ma seule et unique ambition passait par ma conversion à la religion du plus grand nombre. Outre cela, je suis persuadé qu'on peut assurer son salut en latin aussi bien qu'en français. Dieu nous juge d'après nos mérites et non selon notre religion. Aucune ne conduit directement au ciel.

Il y eut un instant de silence, et un rire, des voix parvinrent du dehors : des gens qui sortaient de l'auberge maintenant que la pluie avait cessé. Agrippa s'était mis à marcher de long en large devant Henri.

— Je ne peux pas ne pas penser à ces martyrs obscurs et déjà oubliés qu'en abjurant vous reniez, reprit-il. Tous mes amis et sans doute les vôtres : Anne du Bourg, conseiller au Parlement, Nicolas Croquet, marchand, Marguerite Le Riche, libraire, Étienne Brun, laboureur, et la dame de Graverne, Florent Vinot, Louis Foucaud...

— Taisez-vous, intima Henri à voix basse.

— Vous ne me direz pas...

— Assez. Vous me faites insulte. Sachez donc une fois pour toutes que je n'ai nullement oublié que tous ces braves gens – vos amis et les miens, en effet – ont été torturés, brûlés, pendus... et combien d'autres encore dont on ne connaîtra jamais ni les noms ni le nombre tout simplement parce qu'ils osaient ne pas penser en matière de religion comme les gens en place.

— Vous le reconnaissez !

— Oui, je le reconnais. Il n'en reste pas moins que mon devoir de roi n'est pas de vivre le regard fixé sur le passé et de me nourrir vainement de vieilles haines, mais de préparer l'avenir, et sur cet avenir, Agrippa, je ne vous demanderai pas conseil.

D'Aubigné s'inclina et se dirigea vers la porte qu'il ouvrit. Au moment d'en franchir le seuil il se retourna vers Henri.

— Il est probable, Sire, que nous ne nous reverrons plus. Je quitte Paris dès ce soir pour me retirer dans mes terres où je compte passer le reste de mes jours à cultiver mes souvenirs et à écrire.

— Alors, adieu, mon compagnon, murmura Henri avec émotion. Que Dieu vous garde.

*

À la nouvelle de l'abjuration, un grand nombre de villes se rallièrent à Henri, devenu catholique. Ainsi Fécamp, Cambrai, Bourges, Orléans, Poitiers, Meaux, Aix retombèrent-elles successivement sous l'obédience royale, sous réserve toutefois d'une amnistie générale pour les Ligueurs et d'une remise des impôts en souffrance. Il ne restait à Henri, pour convaincre le peuple de la sincérité de sa conversion, qu'à obtenir l'absolution pontificale. Le sacre à Chartres – Reims étant encore au pouvoir de la Ligue – il y avait longtemps qu'il en rêvait ! La reddition de Lyon, seconde ville du royaume, hâta le cours des choses, et dès l'aube de ce dimanche 27 février 1594, la foule enfiévrée assiégeait les portes de la cathédrale. Un peu plus tard, étendu sur son lit de parade, vêtu d'une chemise fendue aux endroits où il recevra l'onction de la Sainte Ampoule, Henri attend de faire son entrée dans l'église que le peuple maintenant a remplie. Les deux évêques désignés par la tradition le soulèvent et le mènent en procession dans le chœur avec les archers du grand prévôt du roi, les hérauts, les chevaliers du Saint-Esprit et la garde écossaise. Suivent les premiers princes du sang en habits somptueux. Tous les rites et les fastes de l'ancienne cour étaient ainsi ressuscités. Conduit à son fauteuil par les évêques, le roi reçoit à sept reprises l'huile sacrée qui renouvelait le lien mystique établi pour la première fois par Clovis entre Dieu et le royaume de France. Après avoir reçu les insignes de son pouvoir, l'anneau, le sceptre, la main de justice et la couronne, il gravit lentement les marches du maître-autel, où est placé le trône, aux acclamations de la foule.

Enfin le voici roi, roi par le sang, roi par le sacre.

*

Trois actes. Il y avait eu l'abjuration, puis le sacre. Restait l'entrée du roi dans Paris, qui, jusque-là, lui avait opposé une résistance farouche, pour sceller la réconciliation définitive d'Henri avec son peuple. Tous les Parisiens ou presque tous, il le savait, étaient prêts à lui faire fête. Mais le duc de Mayenne, soutenu par la garnison espagnole, se cramponnait énergiquement au pouvoir. Pourtant, comme pressentant un danger, il quitta Paris le 6 mars avec sa famille et ses meubles sous le prétexte de se porter au-devant d'une armée espagnole envoyée à son secours par Philippe II. Le nouveau gouverneur de Paris nommé par lui, Charles de Cossé-Brissac, n'était pas insensible à certains arguments, et Henri ne l'ignorait pas. Un messager secret du roi lui ayant promis pour prix de sa collaboration une forte somme d'argent et le bâton de maréchal, il s'employa dès lors, avec l'aide du prévôt des marchands et d'un certain nombre d'échevins entrés dans le complot, à négocier la reddition de la ville. Des tracts annonçant que la paix avait été signée entre Henri et Mayenne furent distribués sous le manteau, la compagnie la plus fidèle à la

Ligue retirée de la capitale et les bourgeois invités à s'armer. Averti par deux émissaires que la Porte Neuve et la Porte Saint-Denis seraient le 22 mars dégarnies de tout défenseur, le roi, qui avait établi son camp avec ses quatre mille hommes de troupe dans la forêt de Montmorency, se mit au début de la nuit en marche vers Paris. À l'aube ses hommes, divisés en deux corps, entrent en même temps par la Porte Neuve, contrôlée par Brissac, et par la Porte Saint-Denis. Mis à part une trentaine de lansquenets qui firent mine de se battre et furent incontinent taillés en pièces et jetés à la Seine, il n'y eut pas de résistance organisée. À six heures les deux corps de troupes s'étaient assurés de tous les ponts et points stratégiques et avaient opéré leur jonction au Châtelet.

La première ville du royaume, exsangue, affamée, épuisée, était redevenue libre de son destin.

À ce même moment le roi arriva par la Porte Neuve dont le pont fut abaissé pour lui livrer passage. Accueilli par le gouverneur de Paris, le prévôt des marchands à genoux lui offre les clés de la ville. Mais il faut éviter une dernière tuerie. Un émissaire est envoyé au duc de Feria, commandant de la garnison espagnole : s'il se retire immédiatement avec ses troupes, le roi lui octroiera une capitulation honorable. Et Feria accepte. Alors dans le silence Henri s'avance par la rue Saint-Honoré au pas de son beau cheval blanc. Il y a un peu plus de cinq ans qu'un roi n'a pas mis le pied dans Paris et plus de vingt que lui, le Béarnais, le petit prince de Navarre, rêve à cet instant solennel – cet instant qui suffit à justifier tant de fatigue et de combats, de doute, de misère et de chagrin. L'émotion étreint son cœur. Il lève la visière de son casque et on le reconnaît. Des fenêtres, des toits, de la chaussée s'élève une acclamation formidable. Étroitement pressé par la foule – chacun voulant toucher son cheval ou sa botte – il peut à peine s'y frayer un passage. Se mêlant aux soldats, le peuple leur verse à boire. On trinque à la santé du roi, on pleure de bonheur et on s'embrasse. Un tract qui vient de sortir des presses de Saint-Denis circule de main en main : « *De par le Roi Sa Majesté désirant réunir tous ses sujets et les faire vivre en bonne amitié et concorde assure tous les chefs de la Ligue d'une amnistie totale, renouvelle sa promesse de vivre et de mourir dans la religion catholique et confirme leurs privilèges aux bourgeois de Paris...* » Dans un délire d'enthousiasme il parvient au parvis de Notre-Dame où l'attend le clergé. On lui présente une croix à baiser et on fait une harangue. Il entre dans la cathédrale au son lourd de toutes ses cloches et va s'agenouiller devant le maître-autel où il entend la messe et un triomphant *Te Deum*.

Paris est reconquis et, il ne peut plus en douter, la France s'est donnée à lui.

*

Maintenant le voici devant le Louvre, accompagné de quelques gentilshommes, le Louvre où arrivant de son Béarn pour épouser Margot il faillit se faire égorger en 1572 et d'où, se jouant de la surveillance de Catherine, il avait réussi à s'enfuir une nuit de l'hiver 1576, le Louvre obscur, terrifiant, de sa jeunesse. Abandonné depuis longtemps, il semble regarder Henri de ses fenêtres mortes, et le roi se sent étrangement tenu à distance par le cadavre minéral de cette forteresse où vécurent, aimèrent et s'assassinèrent jadis tant de gens qui ne sont plus aujourd'hui que cendre froide.

L'arrivée d'un carrosse sur l'esplanade devant le pont-levis le tira de sa rêverie.

— Je vous attendais, Gabrielle, dit-il en lui tendant la main.

Elle contempla le château dont la ruine aux orbites vides sous le soleil printanier n'en paraissait que plus lugubre.

— Faut-il vraiment que vous viviez là désormais ?

— Tous les rois qui m'ont précédé y ont vécu. Je ne peux déroger. Mais je rallumerai la vie dans la maison. Le Louvre ne fera plus peur. C'en est fini de sa ténèbre.

Ils entrèrent, saisis par le froid et par l'humidité, ils parcoururent les couloirs silencieux et les chambres désertes, ils gravirent des escaliers aux murs lépreux, s'attardèrent dans des corridors où pendaient encore des lambeaux de tapisserie, et de tous les côtés pour Henri les souvenirs venaient à sa rencontre. Ici et là un plafond s'était effondré, des gravats obstruaient le passage et d'un meuble crevé s'échappaient quelques rats. Et partout flottait une odeur de salpêtre et d'eaux croupies.

Fatiguée, oppressée, Gabrielle suivait Henri, s'efforçant de tenir levé le bas de sa robe souillée par la poussière.

— En avons-nous encore pour long-temps ? demanda-t-elle.

À ce moment Sully les rejoignit et ce fut à lui que le roi s'adressa.

— Il va nous falloir maintenant rebâtir la maison.

— Avec vous, ce sera une joie.

Ils s'étaient arrêtés devant une fenêtre qui dominait une cour étroite et profonde.

— Tu te souviens ? murmura Henri.

La cour où Charles, dans sa folie, s'était fait installer une forge et où, la veille de la Saint-Barthélemy, Maximilien était venu annoncer à Henri que l'Amiral n'était pas mort sous la balle de Maurevert. Il y avait de tout cela vingt-deux ans.

— Oui, dit Sully, je me souviens.

Boudeuse, Gabrielle avait quitté la main d'Henri pour pénétrer dans une chambre où par miracle était encore un lit. Elle s'y étendit.

Quand Henri, un instant plus tard, l'y retrouva, elle pleurait.

— Pourquoi pleures-tu, Gabrielle ?

— Au passage de mon carrosse, tout à l'heure, des huguenots m'ont insultée... La duchesse d'ordure... Oui, la putain du roi. Moi qui vais mettre au monde votre premier enfant ! Que faire pour que les protestants cessent de me cracher dessus ?

Il vint s'asseoir près d'elle et lui reprit la main.

— Je leur ferai savoir que tu as été la première à réclamer pour eux les droits qui sont les leurs et que je vais bientôt annoncer par édit. Sèche tes larmes. Je ne souffrirai pas qu'ils t'insultent, je te le jure.

Elle eut encore quelques sanglots, puis s'endormit. Passant devant la porte ouverte, Sully les regarda un instant et soupira. Celle-là, on pouvait dire d'Henri qu'il l'aimait !

*

Du temps avait passé. Par un beau matin de juillet, Sully, qui avait installé ses services à l'Arsenal, vit la porte de son cabinet s'entrouvrir et la tête du roi apparaître. Il se leva tout aussitôt et vint au-devant de son souverain.

— Et moi qui me réjouissais de vous tirer

du lit, Monsieur le grand argentier, dit Henri, souriant.

Sully se rengorgea.

— Sire, je suis dans ce bureau depuis quatre heures du matin. Il y a trois ans de cela, ne m'avez-vous pas dit, au Louvre, que nous devions rebâtir la maison ? Eh bien, je peux vous assurer aujourd'hui que ses murs ressortent de terre.

— Et cela ne te coûte pas trop, à toi qui aimais tant les chevauchées, de vivre maintenant le cul vissé dans ton fauteuil, enfermé dans ce cabinet ?

— Il est vrai, Sire, qu'il me faut plus de courage pour me tenir à cette table que pour me battre à vos côtés. Mais le temps est venu, hélas, où l'épée doit céder à la plume. Mes quatre secrétaires et moi travaillons sans relâche et aujourd'hui j'ai le bonheur de vous le dire...

— Tu as remis de l'ordre dans les Finances et les impôts commencent à rentrer, oui, je sais.

— Vingt et un millions cette année, Sire, mais notre déficit est encore de treize millions. La partie n'est donc point encore gagnée. Mais quand je pense dans quel état nous avons trouvé le Trésor... Ce n'est plus qu'une question de temps. Le pays s'est remis au travail. Les champs sont labourés et les prairies fauchées, les villes rebâties, les routes entretenues, l'ordre public rétabli sur tout le territoire. Et pour ce qui touche à l'industrie...

Noyé sous ce flot de paroles et cette avalanche de chiffres, Henri hocha la tête. Venu à l'Arsenal dans l'espoir d'un moment d'amitié, il devait une fois de plus entendre son orgueilleux ministre, à travers un bilan flatteur, faire l'éloge de lui-même.

— Oui, Sire, continuait Sully, lancé, je suis, ce jourd'hui, en mesure de vous prouver, les chiffres faisant foi, que la France en Europe a retrouvé sa place : la première, et que sans me vanter...

Henri lui prit affectueusement le bras.

— Elle te doit beaucoup, la France, et je suis le premier à le savoir. Mais ce matin il fait si beau... Allons, si tu veux bien, poursuivre cette conversation dans le jardin.

Il regorgeait de fruits, de soleil et d'odeurs, et bien qu'il s'en voulût d'être distrait de son travail, Sully suivit le roi sans trop de mécontentement.

— Tu as des pêches à me donner envie de les dévorer toutes, dit Henri en s'arrêtant sous un arbre chargé de fruits.

— Eh bien, Sire, ne vous en privez pas.

Henri cueillit avec délicatesse la plus énorme à la peau veloutée.

— On dirait une chair de femme à l'intérieur de la cuisse où le grain est si fin...

— Ah, les femmes... il y avait longtemps, grommela le ministre. Il faut toujours que vous y pensiez. Vous n'êtes pourtant plus un jeune homme !

Avant d'y mordre, Henri fit longuement tourner le fruit dans sa main.

— La France, je l'aime comme cette pêche, et cette pêche je vais la savourer comme on baise une femme. À toi les chiffres et les impôts qui rentrent, à moi les yeux contents, le cœur qui bat. Nous nous complétons tous les deux, et c'est de nous dont notre pauvre nation avait besoin après la Médicis et les Valois. Nous l'avons prise ensanglantée et pantelante, et je m'émerveille aujourd'hui des progrès de sa guérison... oui, comme un vieux mari qui a cru voir mourir sa jeune épouse et la revoit un beau matin se levant toute nue et courant au soleil.

— Ah, Sire, dit le duc, souriant cette fois, en vous entendant parler de la France, quel homme n'aurait pas envie de coucher avec elle !

Un instant ils s'étaient retrouvés en deçà des années défuntes, et Henri en fut réchauffé.

— Viens, dit-il. Je connais près d'ici une petite auberge où je m'attable quelquefois. On y mange fort bien, et pour pas cher, Monsieur le surintendant aux Finances.

— Pour pas cher... Ah, Sire, vous ne pouviez pas trouver un meilleur argument. Je vous suis de ce pas.

*

La charmille au bout du jardin embaumait la glycine. Entre les branches entrecroisées ils voyaient le soleil briller sur les eaux de la Seine. Henri se renversa dans son fauteuil et s'essuya les lèvres du revers de la main.

— Alors, mon bon ami, que dis-tu de la table ?

— Il y avait longtemps que je n'avais si bien mangé, et en meilleure compagnie.

— Tu ne m'en veux donc pas de t'avoir débauché ?

— Je rattraperai cette nuit même le temps que je dois à la France. Il faudra revenir me voir à l'Arsenal, Sire, vous vous y faites rare, et à chacune de vos visites je retrouve le goût des anciens jours.

Il ferma les yeux un instant, repu et tout à sa béatitude.

— Est-ce grâce à ce vieux Chinon qui l'arrose, mais je redécouvre le fumet du civet de lièvre.

— Oui, c'est le vieux Chinon qui te chauffe le cœur, mais il a besoin de civet pour que ton estomac soit satisfait.

Au lent passage d'une barge chargée de bûches un éventail de vaguelettes vint se déployer sur la rive, et le silence qui suivit fut plein de ce clapotement.

— Quand les gens ont mangé ils ont moins envie de se battre, émit le duc sentencieusement, et à le voir, ancré dans son fauteuil, il ne faisait aucun doute qu'il n'en avait pas pour son compte envie du tout.

— Oui, et c'est pour ça, vois-tu, que les Français ne doivent plus rester sur leur faim.

— Avant, chantonna le ministre, c'était « ralliez-vous à mon panache blanc », et maintenant « la poule au pot tous les dimanches ». Ah Sire, vous avez le don de la formule. Les Français ont appris à se les répéter à l'envi.

— Il en est encore une qu'il leur faudra s'enfoncer dans la tête, reprit Henri, c'est « que vous alliez à la messe ou au prône, vous êtes tous égaux devant la loi ».

— La plus importante de toutes, dit Sully gravement, mais qui implique que l'État reconnaisse officiellement aux réformés la garantie de leurs droits légitimes, et cela n'ira pas sans mal du côté des catholiques.

— Je m'y attends, mais le roi parlera le langage qu'il faut, et ils devront bien m'écouter.

— Dieu vous entende, Sire. Que vous parveniez à votre but, et la France sera non seulement la plus grande puissance d'Europe, mais encore la plus paisible et la plus juste.

Henri hocha la tête et se leva.

— Je me le suis promis à vingt ans et nous

sommes en passe d'y parvenir. Viens, je te raccompagne à l'Arsenal.

Jetant quelques pièces sur la table, il prit le bras de son ministre et ils sortirent du jardin.

*

Ce jour d'avril de 1588, la fine fleur du clan catholique se retrouva au Louvre où elle avait été convoquée et où elle s'était rendue, traînant les pieds, maussade, mais déjà plus qu'à moitié domptée. Le roi allait parler, et il n'avait jamais parlé pour ne rien dire.

À l'écart, le bâtard de Charles IX, Auvergne, Turenne et Biron chuchotaient, la mine sombre.

— Un État dans l'État, murmura Turenne, indigné, voilà ce qu'on peut craindre... et un État avec des appuis militaires.

— Une centaine, à ce qu'on dit, grogna Auvergne.

— Cent cinquante, pour huit ans, et dont les gouverneurs et les soldats seront à charge de l'État.

— On dit encore que par tout le territoire les huguenots accéderaient à toutes les
places et que seront instituées des chambres
mi-parties où les deux religions partage-
raient à nombre égal les fonctions de juge.

— Est-ce donc pour cela qu'il s'est fait
catholique ? ironisa Biron en ricanant.

— Oui, pour faire le jeu des réformés, dit
Auvergne. Mais, hélas, il est roi. Nul ne peut
se mettre en travers.

— Si... nous, laissa tomber Biron avec
une froideur terrible.

— Nous... mais comment ?

— Nous y réfléchirons. Notre devoir est
en tout cas de sauver le royaume d'un souverain qui brade l'héritage. En ce qui touche
à moi, et je suppose qu'il en est de même
pour vous, je ne suis aucunement prêt à
me coucher.

À ce moment le roi entra et tout murmure s'éteignit.

— Comme vous le voyez, Messieurs,
commença-t-il sur un ton mi-plaisant mi-
sérieux, je viens à vous non pas en costume
royal ou avec la cape et l'épée comme mes
prédécesseurs, ni non plus comme un

prince qui reçoit des ambassadeurs étrangers, mais en pourpoint, à l'instar d'un père
de famille qui vient parler à ses enfants.

Il y eut une pause, pendant laquelle son
regard parcourut un à un les visages qui
l'entouraient.

— Je vous ai fait venir, reprit-il, afin que
vous preniez connaissance de l'édit qui
touche à ceux de la Religion et que j'ai
inspiré pour le bien de la paix. Cette paix,
je l'ai faite au-dehors et la veux maintenant
établir au-dedans. Tout n'ira pas tout seul,
je ne l'ignore pas. On fait des brigues au
Parlement, mais j'y mettrai bon ordre. Je
suis fils aîné de l'Église et suis prêt à vous
faire tous déclarer hérétiques pour n'en
vouloir pas obéir. Roi, je suis roi maintenant
et parle en roi qui veut être entendu et qui
est résolu à extirper les racines de toute faction, quelle que soit son origine. Je compte
donc sur vous pour m'aider dans ma tâche
qui n'a en vue que la grandeur de la France
et le bien des Français.

Il se tut encore un instant, puis souriant
les salua.

— Mais vous m'avez compris. Allez, Messieurs. Que Dieu soit avec vous.

Et il sortit.

— Voyons-nous cette après-midi chez moi, souffla Biron.

— J'y serai, dit Auvergne.

— Et moi de même, dit Turenne.

*

Le 25 février 1599, le Parlement de Paris enregistra l'édit en se faisant tirer l'oreille, et il y eut encore en province, à Aix, Toulouse, Rennes et Bordeaux, des résistances à vaincre.

— C'est chose étrange, remarqua le roi, que vous ne pouvez renoncer à vos mauvaises volontés. J'aperçois bien que vous avez encore de l'Espagne dans le ventre.

Cependant tout rentra peu à peu dans l'ordre, et la pacification se propagea. C'était la première fois en Europe qu'un roi légalisait la liberté de conscience et de culte. Avec l'édit de Nantes, obtenu par sa fermeté et son intelligence, Henri voyait enfin se réaliser dans son âge mûr le grand rêve de tolérance qu'il avait fait dans sa jeunesse.

*

Jacques de La Fin, dit La Nocle, un coquin fieffé criblé de dettes qui avait su gagner la confiance de Biron en flattant sa croyance en la magie (on disait qu'il lui avait fait voir le diable), était devant Sully, à l'Arsenal, un pied insolemment posé sur le bord d'un fauteuil.

— Qu'est-ce que tu me contes ? demanda le duc, stupéfait.

— Rien que la vérité. Il l'a dit devant moi, et toutes ses paroles me sont restées gravées dans la tête.

— Un des meilleurs amis du roi... un homme qu'il a comblé de titres et de faveurs... qui lui doit sa fortune. On a peine à le croire.

La Fin eut un mauvais sourire.

— Sans doute lui fallait-il se délivrer du poids de la reconnaissance. Et le duc de Savoie lui a promis sa troisième fille en mariage, assortie d'une dot de cinq cent mille écus, contre la Bresse, la Provence et le Dauphiné. Avec le soutien de l'Espagne qui espère de son côté mettre la main sur la Guyenne, le Languedoc et la Bretagne, il se voit déjà roi.

— Mais roi de quoi ? demanda le surintendant abasourdi.

— D'un territoire composé de parties
arrachées à la Franche-Comté et à la Bourgogne...

— ... dont le roi l'a nommé gouverneur
pour le remercier de ses services.

— Sans doute n'était-ce pas assez pour
lui.

— Et qu'est-ce qui te pousse à le trahir,
ton maréchal ?

— C'est qu'il m'a trahi le premier. Il me
préfère le baron de Lux.

— Je comprends. Mais as-tu une preuve
de ce que tu avances ?

La Fin sortit une liasse de papiers de son
pourpoint et les fit crisser dans ses doigts.

— La copie du traité que Biron a signé
avec Fuentès, l'ambassadeur d'Espagne, à
Somme, dans le Tessin. J'étais présent. Et le
plan détaillé de son « royaume », dressé par
lui, qu'il m'a confié un moment et que j'ai
pu recopier.

— Combien ? demanda froidement Sully
qui connaissait son homme.

— Trois mille livres comptant ou trois

mille quatre cent cinquante en quatre verse-
ments, à votre convenance.

— Tu les auras si tu n'as pas menti. Mon-
tre...

La Fin posa les papiers sur la table où
Sully les examina longuement, un par un.

— C'est de la haute trahison, murmura-
t-il. L'imbécile doit déjà se gonfler du jabot
en se voyant traiter avec le roi de France.

— Oui, d'égal à égal.

Sully se redressa, les traits tirés par le
souci.

— Maintenant, toi, va-t'en. Je dois aller
parler au roi.

La Fin le salua.

— N'oubliez pas, je vous prie, Monsieur
le surintendant, de lui rappeler que je suis
son très fidèle et obéissant serviteur.

Et il sortit sans que Sully eût pris la peine
de répondre.

*

Ils se promenaient en causant sous un ciel
lourd dans les jardins de l'Arsenal.

— Biron ! dit Henri, atterré. Ah non, pas
lui. Comment y croire ?

— Il n'y a pas de doute, affirma tristement Sully. Je vous en ai montré les preuves.

Henri hocha la tête et soupira.

— Un homme que j'aimais... qui a risqué
sa vie pour moi. Un brave entre les braves,
aux trente-deux blessures, que j'ai fait
maréchal, duc et pair et gouverneur de la
Bourgogne. Un homme à qui jamais je n'ai
rien refusé.

— Et qui vous a trahi parce qu'il vous
devait trop de choses et que sa volonté de
puissance ne connaît pas de borne.

— Il n'est pas très intelligent, je le savais,
et d'une ambition si naïve et si sotte. Nos
ennemis, la Savoie et l'Espagne, ont dû le
manœuvrer sans qu'il s'en rende compte.

Il y eut un silence. Henri qui s'était arrêté
réfléchissait. On entendit au loin un sourd
grondement de tonnerre.

— Qu'allez-vous faire, Henri ?

— Je dois le voir.

— Pourquoi ?

— S'il m'avoue tout spontanément...

— Vous lui pardonnerez ?

— Je verrai.

Les deux hommes se remirent en marche.

— Défiez-vous de vous, Henri. Vous êtes

trop porté sur la bonté. Pour de certaines gens, elle n'est que faiblesse.

La pluie commençait à tomber à grosses gouttes chaudes qui faisaient de petits cratères dans la poussière.

Henri hâta le pas vers l'Arsenal.

— Et maintenant allons régler ses trois mille livres à La Nocle, grommela le surintendant pour lui-même.

*

— Il ne viendra pas, dit Henri.

— Il viendra et il mentira. Que ferez-vous alors ?

Ils attendaient Biron que le roi avait convoqué au château de Fontainebleau. Depuis que son ministre lui avait révélé la trahison du maréchal, Henri vivait empoisonné par une interrogation douloureuse : comment son frère d'armes, son ami de toujours, avait-il pu sombrer au fond de cette ignominie ? Même l'amour de Gabrielle ne pouvait le distraire de cette sombre affaire.

— Je voudrais l'amener à me dire la vérité.

— Vous ne pouvez pas l'espérer, dit Sully,

il est allé trop loin dans la traîtrise. Mais admettons que par miracle il vous la dise, la vérité...

— Alors j'aviserai.

— Vous hésiteriez à le punir ? C'est cela que je dois comprendre ?

— Eh bien, oui... là, j'hésiterai, gronda Henri avec une sorte de colère qui s'adressait peut-être à lui-même.

— Il mérite pourtant de l'être plus que personne par la place qu'il a occupée dans votre cœur.

— Il en a encore une, avoua le roi à voix basse.

— Ah, le voici, dit le surintendant en voyant Biron s'avancer sur la terrasse. Il vaut mieux que je me retire. Je ne saurai me contenir en sa présence.

Biron, qui s'était approché, salua froidement le roi.

— Charles, vous avez bien fait de venir, sinon j'aurais été forcé de vous faire chercher.

Sans répondre, Biron eut un petit sourire ironique.

— Je crois que nous avons des choses à

nous dire, reprit Henri. Ou plutôt que *vous avez*, vous, des choses à me dire.

— Des choses ?... feignit de s'étonner Biron. Je ne vois pas. À quelles choses pensez-vous, Sire ?

— Une affaire très grave où vous vous êtes engagé, et qui me préoccupe. Mais je peux tout comprendre pourvu qu'on ne me cache rien. Et pardonner si besoin est.

Biron leva les bras et joua l'ahurissement.

— Qu'aurais-je à expliquer et à me faire pardonner ?

Ils s'étaient mis en marche côte à côte au pas de promenade et passaient devant la volière. Un paon faisait la roue. Henri le désigna d'un geste au maréchal.

— Un bel oiseau qui aime faire le superbe, dit le roi, mais il n'est pas des plus intelligents, à ce qu'on dit.

Se tournant soudain vers le duc il reprit, le fixant dans les yeux :

— Ainsi, vous ne voyez donc pas de quelle affaire j'ai envie que vous me parliez ?

— Sire, vous plaisantez. Je ne vois rien. Il n'y a rien à voir.

Henri reprit sa marche, un peu voûté, les mains derrière le dos.

— J'ai appris que le duc de Savoie veut de vous comme gendre.

— Oui, Sire, il me fait cet honneur.

— ... et qu'avec l'appui de l'Espagne, il vous reconnaîtrait la souveraineté de la Bourgogne. Je suis prêt à comprendre que vous ayez été tenté par cette proposition, bien que l'Espagne ne veuille que du mal à la France et que pactiser avec elle...

Biron l'interrompit avec une hauteur impatiente.

— Sire, une fois pour toutes, je n'ai aucun aveu à vous faire.

Henri le regarda pensivement.

— J'en suis sincèrement navré pour vous, Monsieur.

*

Biron aurait pu s'esquiver le soir même, et aucun ordre n'ayant été donné de l'arrêter, il aurait pu rejoindre la Bourgogne, mais par bravade il décida de passer la nuit au château. Après souper il proposa cavalièrement au roi une partie de trictrac, et Henri accepta. Ils jouèrent un moment en silence puis tout à coup le roi jeta violemment ses dés sur la table.

— En voilà assez maintenant, s'écria-t-il exaspéré. Pour la dernière fois, êtes-vous résolu à ne me dire rien ?

— Vous dire quoi ?

— Vous l'aurez donc voulu.

Henri se leva brusquement et frappa dans ses mains.

Viry, capitaine des gardes, entra dans le salon avec deux hommes.

— Monsieur le maréchal, dit-il en saluant Biron, veuillez me suivre.

Le duc blêmit.

— Mais où m'emmenez-vous ?

— À la Bastille, dit le roi, où le comte d'Auvergne est déjà enfermé pour être entré dans votre complot criminel. Le vicomte de Turenne s'est échappé à temps et se trouve présentement sous la protection des princes allemands. Le Parlement va vous juger, Auvergne et vous, pour haute trahison.

— Mais ce n'est pas possible, murmura Biron, stupéfait.

— Je vous préviens, continua Henri, que

je ne ferai pas valoir mon droit de grâce. Adieu, Monsieur, j'ai de la peine.

Quand ils furent sortis, Henri s'abandonna dans un fauteuil, les coudes appuyés à la table, la tête entre les mains.

— Vous avez fait ce qu'il fallait, dit Sully en entrant.

— Oui, peut-être, balbutia le roi.

— Vous deviez punir. Je sais que ce n'est pas dans votre nature, mais un roi ne peut pas toujours pardonner. Les Français attendent de vous la justice et ils auraient tôt fait de vous tenir en grand mépris s'ils constataient votre faiblesse.

Henri hocha la tête tristement.

— D'Aubigné, mon vieil ami que j'ai perdu, Auvergne que j'aimais bien qui s'emploie contre moi, et ce Biron, mon frère d'armes, qui me trahit vilainement. Ce maudit sacre... Il m'a voué à l'abandon.

— Mais moi, Sire, murmura Sully en lui mettant la main sur l'épaule, je serai toujours avec vous.

— Oui, soupira Henri, heureusement que tu es là

*

Six semaines plus tard, Biron, condamné par le Parlement de Paris à la peine de mort, fut décapité dans la cour de la Bastille. Auvergne, qui avoua ce qu'on voulut et afficha son repentir, vit s'ouvrir quelque temps plus tard les portes de sa prison. Réfugié chez son beau-frère l'électeur palatin, Turenne échappa pour sa part à la justice royale.

*

La rue déserte sur la colline de Saint-Cloud était pleine d'un chaud soleil, et Henri, immobile, contemplait la maison. Il se revit bien des années auparavant, entrant en hâte dans la chambre où son cousin le roi, poignardé par Jacques Clément, allait mourir. Il s'était agenouillé à son chevet, il avait pris sa main, il l'avait entendu faire de lui son héritier. Depuis, toute une vie avait passé, et maintenant la vieillesse était là, dans son corps et son cœur, avec son amertume et sa fatigue.

Se réveillant de son passé il s'éloigna, les mains derrière le dos. Qu'était-il venu faire ici ? Il n'aurait su le dire, n'étant point d'ordinaire d'un tempérament mélancolique. Peut-être simplement n'avait-il trouvé ce jour-là personne à qui parler. Les souvenirs accourent dans la solitude...

Dans sa pénombre bleue la salle d'auberge était déserte.

— Bonjour, l'ami, dit Henri à l'homme qui s'approchait. Donne-moi du vin de Suresnes. Et bien frais.

Un couple d'adolescents entra et dès qu'ils furent assis commencèrent à s'embrasser et à se frotter l'un contre l'autre.

— Quelle chaleur ! dit Henri en souriant.

— Une chaleur qui donne soif, répondit le garçon.

— Alors, permettez-moi de vous offrir à boire à tous les deux. Venez. Installez-vous.

Après s'être consultés du regard, les deux jeunes gens rejoignirent Henri à sa table, et il remplit leurs verres.

— Merci, Monsieur, dit le garçon, vous êtes bien aimable.

— C'est à moi que ça fait plaisir. Dites-moi ce que vous pensez de ce petit vin de Suresnes.

— Oh ça, c'est du meilleur, apprécia l'adolescent avec une mine entendue.

— Il dit ça, mais il n'y connaît rien, s'écria la petite en le poussant du coude, mais c'est vrai qu'il est bon, ce vin.

— Comment t'appelles-tu, mon garçon ? lui demanda Henri.

— Sylvain Saulnier... et elle Blanche Jardin.

— Et tu as un métier ?

— Il se dit jardinier, intervint la jeune fille d'un air moqueur, mais il braconne et baguenaude toute la sainte journée.

— Mais tu ne dis pas à Monsieur que ton père est tavernier et qu'il est tout le temps à te dire de mauvaises choses sur moi.

La petite haussa les épaules.

— Papa veut me faire épouser le tapissier de M. le comte de Soissons à qui je plais à ce qu'on dit, expliqua Blanche, mais moi c'est lui (et elle désigna Sylvain), c'est lui que j'aime.

Henri observa rêveusement Sylvain et eut un petit rire triste.

— Vous vous moquez de moi, Monsieur ? dit le jeune homme d'un ton offensé.

— Non, je regarde tes cheveux... tes

cheveux noirs, si drus, et ton front repassé comme un galet. Quel âge as-tu ?

— Dix-sept ans.

— Et moi quinze, dit Blanche.

Il lui prit tendrement la main.

— Un jour elle aura un carrosse, des cottes de brocart et un collier de grosses perles.

— J'aimerais bien savoir comment tu m'offriras tout ça.

— Je ferai ce qu'il faut, décréta Sylvain d'un ton sombrement décidé.

Blanche leva les yeux au ciel.

— Ce que c'est que l'amour ! J'ai envie de le croire quand il dit ces sottises. Et vous, Monsieur, vous avez une femme ?

Henri hocha la tête.

— Oui... non... je ne sais plus.

Les deux jeunes gens échangèrent un regard furtif, réprimant leur envie de rire.

— Et vous savez si vous avez une famille ? demanda Blanche avec un éclair de malice dans les yeux.

— Une famille, oui, j'en ai une, et nombreuse. Mais mes enfants ne s'aiment pas, et cependant il y a place pour chacun sur mes terres.

— Elles s'étendent loin, vos terres ? interrogea Sylvain.

— Oui, certes.

— Aussi loin que les terres de M. le comte de Soissons ?

— Plus loin encore.

— Vous vous moquez... il n'y a pas plus loin.

Sans répondre, Henri vida son gobelet. Il y eut un silence habité seulement par le bourdonnement d'une abeille. Blanche regarda Henri avec dans ses yeux une expression de pitié.

— Comme vous semblez triste ! dit-elle.

Henri se leva pesamment et jeta quelques pièces sur la table.

— On n'est plus heureux à mon âge. Adieu, mes bons enfants. Que Dieu vous garde. Aimez-vous fort. Tenez-vous lieu de tout.

Ils le virent sortir et hésiter dans le soleil brûlant sur la direction à prendre.

— Et si c'était le comte de Soissons venu boire en Suisse à Saint-Cloud parce que sa femme le bat quand elle l'attrape une bouteille à la main ? murmura Blanche.

— Peut-être bien. On dit qu'il roule

souvent sous la table, le comte de Soissons. Quand tu seras la femme de son tapissier, tu me raconteras.

Ils se mirent à rire et serrés l'un contre l'autre leurs bouches se trouvèrent.

*

Dans sa chambre du Louvre, Henri était au lit, les yeux clos. À son chevet, Sully, son portefeuille sur ses genoux, consultait des papiers. Le roi eut un gémissement.

— La gravelle, la goutte et en plus des feux d'intestin. Sans compter l'âge qui raccourcit mon temps. Demain cinquante ans, mon ami. Oui, je m'en vais.

Sully leva les yeux vers lui et haussa les épaules.

— Pour aller où ? Allons, Henri, reprenez-vous. Vous êtes fait pour cette terre et cette vie. Je ne dis pas qu'il n'y en a pas une après, mais pour ma part je ne vous y vois pas.

Henri sourit à son ministre.

— Oui, à dire vrai, moi non plus. Qu'est-ce que je ferais chez les anges qui n'ont pas de sexe ni de chair sous leur chemise ?

D'un effort il se redressa sur ses oreillers.

— As-tu besoin de moi pour les affaires ?

— J'y suffis pour l'instant, dit Sully. Tout va son train. Mais il y a la France...

— La France ?

— Oui, elle attend un successeur au trône... un successeur que vous tardez à lui donner. Et elle s'impatiente, la France. Pensez-y, Sire.

Henri poussa un long soupir et referma les yeux.

— Tant que je serai marié à Marguerite...

— Elle se résoudra à l'annulation si le Saint-Père le lui demande, et je sais par un homme que nous avons au Vatican qu'il est prêt à l'entretenir à ce sujet. Mais la reine met une condition à l'annulation : elle exige de vous, Sire, que vous épousiez une princesse de sa qualité.

Henri s'enfonça de nouveau dans son lit.

— Nous verrons ça. Laisse-moi dormir maintenant. Si je pouvais me réveiller avec la faim ! Rien de mieux que la faim. Elle est si bonne au corps.

Sully serra ses documents dans son portefeuille et se leva.

— Elle va revenir, dit-il. Vous n'en aurez jamais fini avec la faim.

*

— Eh bien, Sire, êtes-vous plus vaillant ?

Henri qui somnolait au soleil sur un banc dans les jardins de l'Arsenal, sa canne posée près de lui, sourit à son ministre.

— Ah, la merveilleuse cuisson que le premier soleil au sortir de la chambre !

Il se leva et prit sa canne.

— Voici vos jambes retrouvées, dit Sully.

— Une de plus que la nature ne m'en a fait.

— Vous ne tarderez pas à la laisser dans l'antichambre, votre canne. Allons marcher un peu dans le verger, si vous le voulez bien. Les pêches vous y attendent.

Ils se mirent en marche à pas lents.

— Quelles nouvelles ? demanda Henri. J'ai résolu de me remettre dès ce matin au travail. Il y a trop longtemps que l'État t'est tout entier à charge.

— Ne vous tracassez pas, Sire, j'ai la force de le porter.

— Parlons quand même des affaires.

299

— Une nouvelle d'abord qui vous fera plaisir. Votre bibliothèque royale à laquelle vous attachez un si grand prix vient ces jours-ci de s'enrichir de la superbe librairie de votre belle-mère, Madame Catherine : quatre mille cinq cents volumes et manuscrits ; et j'ai pu d'autre part sauver la Bible de Charles le Chauve que les moines de Saint-Denis cherchaient à vendre. Vous voici devenu pour la postérité protecteur des lettres et des arts.

— Cela aurait fort réjoui mon ami le sieur de Montaigne qui vint jadis me voir si souvent à Nérac et dont la conversation m'a tant appris.

— Il y a encore une bonne nouvelle, Sire. Madame Marguerite a cédé en fin de compte à la volonté de Notre Saint-Père Clément VIII. D'ici quelques semaines, l'annulation prononcée, vous serez bon à marier, et vous pourrez songer à épouser une princesse qui vous fera des fils.

Henri hocha la tête sans répondre.

— Et tous les bons Français, continua Sully, se réjouiront à savoir que la succession du trône est assurée.

— Je ne suis pas encore mort, balbutia Henri, il n'y a point de hâte.

— Ne parlons plus, reprit le duc comme s'il n'avait pas entendu, de la fille de l'électeur de Brandebourg ni de celle du duc de Wurtemberg puisque vous n'avez pas le goût des Allemandes, et venons-en à l'Italienne. On dit Marie de Médicis fort avenante et sa famille de banquiers est riche... très riche. Elle aura une énorme dot. Je peux vous en donner le chiffre.

Il sortit un papier de son pourpoint :

— 1 174 147 écus d'or... oui, très exactement. Soit le montant total de la dette que la monarchie française a accumulée à l'égard du grand-duc de Toscane. Outre cela, n'oubliez pas, Sire, heureuse coïncidence, qu'une Médicis, prénommée Catherine, est déjà entrée dans le lit d'un roi Henri. Que demander de plus ?

Henri passa son doigt sur l'arête busquée de son nez.

— Je me méfie, dit-il, de tous ces gens qui ont un intérêt dans cette affaire.

— Est-ce à dire que j'y aurais le mien ? rétorqua Sully vertement.

— Non, je ne parle pas de toi.

Un silence pesa. Ils étaient arrivés dans le verger, mais le roi n'eut pas un regard pour les pêches. La tête basse il s'arrêta, mais le duc était décidé à aller jusqu'au bout.

— Sire, dit-il, vous êtes le premier intéressé à ce projet de mariage, dans votre gloire et votre réputation. Savez-vous les infâmes ragots qui circulent sous le manteau et auxquels il convient de mettre fin ?

— Je ne prête pas l'oreille aux ragots, répondit sèchement le roi.

— Mais ceux-ci ne sont pas sans fondement, reprit Sully. On dit et on écrit – Tallemant des Réaux l'a fait – que César, le fils que Madame Gabrielle vous a donné, serait le fils de Bellegarde avec lequel elle n'a jamais rompu et qu'elle continuerait d'aimer. Le seul moyen de mettre fin à ces rumeurs est votre mariage avec une princesse du sang et la naissance légitime d'un héritier.

Henri fut comme foudroyé. Ainsi ce serait donc la vérité – cette vérité qu'il n'osait se dire à lui-même : Gabrielle n'aurait cessé de le tromper, son fils ne serait pas de lui ?

— Laisse-moi un moment, je te prie, murmura-t-il.

Effrayé par l'effet sur le roi de ses paroles, Sully hésita, inquiet et bougon, et le quitta enfin sans mot dire.

Soudain vieilli, désemparé, Henri regardait dans le vide. Un chien vint rôder un moment autour de lui et machinalement il tendit la main vers lui, mais l'animal s'éloigna en grognant. S'appuyant lourdement sur sa canne, il se remit en marche au hasard du verger.

Et ce fut cette allée que les branches recouvraient en berceau formant un tunnel de feuillage. Au bout une très jeune fille, grimpée sur une échelle, emplit un panier de cerises, au soleil. Fleurette, son premier amour à Nérac, il y a de cela toute une vie, et le voici pour un instant reparti au temps béni de sa jeunesse et aux grands étés d'autrefois.

L'image se figea et s'effaça.

Tête basse, il reprit le chemin de l'Arsenal où l'attendait son ministre qui allait l'entretenir des affaires de la France.

Septembre 2001.

Aubin Imprimeur
LIGUGÉ, POITIERS

Composition et mise en pages réalisées
par ÉTIANNE COMPOSITION
à Neuilly-sur-Seine.

Achevé d'imprimer en juillet 2002
pour le compte de France Loisirs
123, bd de Grenelle, 75015 Paris
N° d'édition 37175 / N° d'impression L 63718
Dépôt légal août 2002
Imprimé en France